Alice no País dos Enigmas

CB008074

Raymond Smullyan

Alice no País dos Enigmas

Incríveis problemas lógicos
no País das Maravilhas

Prefácio de Martin Gardner

Tradução:
VERA RIBEIRO

Revisão técnica:
LUIZ CARLOS PEREIRA
Deptª de Filosofia, PUC-Rio
Deptª de Filosofia, IFCS/UFRJ

11ª reimpressão

ZAHAR

Copyright © 1982 by Raymond Smullyan

Tradução autorizada da primeira edição norte-americana publicada em 1982 por William Morrow, de Nova York, Estados Unidos

Grafia atualizada segundo o Acordo Ortográfico da Língua Portuguesa de 1990, que entrou em vigor no Brasil em 2009.

Título original
Alice in Puzzle-Land: A Carrollian Tale for Children under Eighty

Capa
Carol Sá
Sérgio Campante

CIP-Brasil. Catalogação na fonte
Sindicato Nacional dos Editores de Livros, RJ

Smullyan, Raymond M., 1919-2017
S649a   Alice no país dos enigmas: incríveis problemas lógicos no país das maravilhas / Raymond Smullyan; tradução Vera Ribeiro; revisão técnica Luiz Carlos Pereira. — 1a ed.—Rio de Janeiro: Zahar, 2000.

Tradução de: Alice in Puzzle-Land: A Carrollian Tale for Children under Eighty.
ISBN 978-85-7110-550-8

1. Enigmas lógicos. I. Carroll, Lewis, 1832-1898. Alice's adventures in wonderland. II. Título.

	CDD: 793.73
00-0429	CDU: 793.7

[2022]
Todos os direitos desta edição reservados à
EDITORA SCHWARCZ S.A.
Praça Floriano, 19, sala 3001 — Cinelândia
20031-050 — Rio de Janeiro — RJ
Telefone: (21) 3993-7510
www.companhiadasletras.com.br
www.blogdacompanhia.com.br
facebook.com/editorazahar
instagram.com/editorazahar
twitter.com/editorazahar

❧ Sumário ❧

❦ Prefácio ❧

Este livro, tal como as *Aventuras de Alice no País das Maravilhas* e *Através do espelho*, é realmente para leitores de todas as idades. Não quero dizer com isso que todo ele seja para qualquer idade, mas que, tomando uma idade qualquer, parte dele é para essa idade. Por exemplo, os enigmas extremamente elementares do Capítulo 4 destinam-se particularmente ao leitor muito jovem, que ainda não estudou álgebra (e, como diz sabiamente o Grifo, "Você não precisa de álgebra nenhuma!"). No extremo oposto estão os enigmas desafiadores dos Capítulos 5 e 9; estes intrigarão tanto o especialista quanto o iniciante. O Capítulo 10 tem um status especial e inusitado.

Este ano (1982) marca o centésimo quinquagésimo aniversário de nascimento de Lewis Carroll, a quem este livro é dedicado. Creio que Carroll teria gostado particularmente do capítulo de Humpty, que versa sobre os paradoxos (um dos temas favoritos de Carroll), porém no estilo inimitável de Humpty Dumpty. Foi muito divertido escrevê-lo (como o foram, aliás, todos os outros capítulos). Na verdade, todo o projeto de recriar o espírito dos escritos de Carroll foi um deleite, do princípio ao fim.

Meus agradecimentos calorosos vão para Greer Fitting, por todas as suas adoráveis ilustrações; para Maria Guarnaschelli, por seu excelente trabalho editorial; e para Iver Kern, que examinou cuidadosamente todo o manuscrito e deu uma porção de sugestões úteis.

RAYMOND M. SMULLYAN
Elka Park, Nova York
1º de janeiro de 1982

& Introdução ❧

Raymond Smullyan é um conjunto singular de personalidades, que inclui um filósofo, um lógico, um matemático, um músico, um mágico, um humorista, um escritor e um esplêndido criador de enigmas e quebra-cabeças. Como é escritor e humorista habilidoso, gosta de apresentar seus enigmas sob uma forma narrativa que, muitas vezes, parodia grandes obras da ficção popular. E o faz tão bem que seus livros de quebra-cabeças, incrivelmente, são um prazer de ler, mesmo para quem nunca tentou resolver um único enigma!

O primeiro livro de enigmas de Ray (chamo-o Ray porque somos velhos amigos) intitulava-se *What Is the Name of This Book?* Apresentava seus cavaleiros (que só dizem a verdade), seus valetes (que sempre mentem) e personagens como o Inspetor Craig, Bellini e Cellini, o Conde Drácula e a Alice de Lewis Carroll, com as criaturas do País das Maravilhas. É claro que os leitores que se empenharam em resolver os enigmas desse livro, como quer que ele se chamasse, acharam-no duplamente recompensador e, no final, receberam um bônus notável — o entendimento da famosa prova de Kurt Gödel, a maior das modernas descobertas matemáticas.

A primeira coleção de problemas originais de xadrez de Ray, *The Chess Mysteries of Sherlock Holmes*, enriquece cada problema com um pastiche de Holmes e Watson. Essas histórias são tão fiéis ao espírito do cânon que os sherlockianos que nunca jogaram xadrez conseguem desfrutá-las pelo simples diálogo. Uma segunda coletânea de problemas de xadrez, *The Chess Mysteries of the Arabian Nights*, reveste os problemas de paródias de Sherazade.

No volume que você tem agora nas mãos, Alice e seus amigos estão de volta ao outro lado do espelho, para uma farra com os quebra-cabeças que agradará tanto aos carrollianos quanto o primeiro

livro de enigmas sobre o jogo de xadrez agradou aos Esporádicos da
Rua Baker. Ray acertou de novo. Seus personagens não apenas
conversam e se portam tal qual os originais, como o livro é também
repleto de trocadilhos, problemas lógicos e metalógicos e obscuros
paradoxos filosóficos, todos tipicamente carrollianos. No mundo do
nonsense de Carroll havia duas Alices: a imaginária e sua amiga de
infância da vida real, Alice Liddell. No mundo do nonsense de Ray
há também duas Alices: uma amiga dele e a Alice imaginária de seu
primeiro livro. Carroll teria gostado de ambas. E ficaria encantado
com o embrulho de espelho de Ray, que só se desembrulha quando
a gente tenta embrulhá-lo, e com uma centena de outras extravagân-
cias em que teria pensado, se pudesse ter imaginado Raymond
Smullyan em sua fantasia.

Como sempre acontece nos livros de Ray, as perguntas metafísicas
intrigantes têm um jeito de nos apanhar de surpresa. Por exemplo,
quando Humpty Dumpty diz a Alice que ela deve pensar em tudo,
Alice declara, sensatamente, que isso é impossível.

— Eu nunca disse que você *poderia* — respondeu Humpty
Dumpty — disse apenas que *deveria*.

— Mas, será sensato dizer que eu devo fazer uma coisa que não
posso fazer?

— Esse é um problema interessante de filosofia moral — replicou
Humpty —, mas ele nos levaria longe demais.

E como levaria! Ray não diz isso a você, mas Humpty levantou
um problema famoso, conhecido como o paradoxo de Hintikka,
nome inspirado em Jaako Hintikka, um dos líderes de uma nova escola
de filósofos dos "mundos possíveis" que agora está em voga. É
adequado chamar de moralmente errado algo que uma pessoa não
pode fazer? Hintikka tem um argumento famoso, destinado a mostrar
que é um erro tentar fazer uma coisa impossível. Existe atualmente
uma vasta bibliografia sobre essa estranha questão, que pertence a um
tipo de lógica modal chamada deontológica. Soubemos por Carroll
que Humpty é especialista em lógica clássica e semântica. Agora,
sabemos por Ray que o ovo também é especialista em lógica modal!

Uma ou duas páginas depois, Humpty confunde Alice com uma
espantosa versão, numa frase só, de outro famoso paradoxo, conhecido

por nomes como o "exame inesperado" e o "enforcamento inesperado". (Você pode ler sobre ele no primeiro capítulo de meu livro *The Unexpected Hanging*.) Humpty não sabe ao certo se sua elegante compressão desse enigma é ou não um autêntico paradoxo, nem você terá certeza, depois que o compreender. Como exclama Humpty, "E esse é o lado bonito da coisa!"

No capítulo sobre o Cavaleiro Branco, Carroll nos diz: "De todas as coisas estranhas que Alice viu em sua viagem através do espelho, essa era uma de que sempre se lembrava com a maior clareza. Anos depois, ainda conseguia recordar-se da cena inteira outra vez, como se tivesse sido na véspera (...)."

Ray não se esqueceu. "De todas as aventuras de Alice com os quebra-cabeças no Espelho", diz ele no início do capítulo nove, "os que virão a seguir são os que ela recordava mais vividamente. Anos depois, ainda contava aos amigos esses enigmas fascinantes e inusitados." É, poderíamos jurar que foi o próprio Cavaleiro Branco de Carroll que caiu do cavalo nas páginas de Ray.

No fim do segundo livro de Carroll sobre Alice, a menina se pergunta se sonhou com o Rei Vermelho, ou se é apenas uma coisa qualquer no sonho do Rei Vermelho. Em seus dois últimos capítulos, Ray tece brilhantes temas enigmáticos em torno do ato de sonhar. Seu livro termina com o Rei Vermelho fazendo a Alice uma pergunta tão confusa e tão profunda sobre os sonhos, que, tal como fizera Carroll, Ray deixa-a sabiamente sem resposta.

Ninguém consegue ler este livro, ou qualquer dos livros de Ray, sem ficar mais cônscio do mistério de ser, da dificuldade de distinguir o verdadeiro do falso, ou o real do irreal. Isso é o que há de bonito neles. E você termina o livro sabendo que Ray lhe mostrou apenas uma pequena parte dos fantásticos truques enigmáticos que traz em sua manga de mágico, e que está falando pela boca da Duquesa quando diz: "Em matéria de enigmas *confusos*, esses não são nada comparados a alguns que eu *poderia* lhe contar, se quisesse!"

MARTIN GARDNER
Hendersonville, Carolina do Norte

PARTE I

❧ Enigmas do ☙
País das Maravilhas

CAPÍTULO 1

Que Alice?

Tudo começou na festa de aniversário de Alice. Não a Alice do País das Maravilhas, mas minha amiga Alice. Como foi que a outra Alice entrou na história, logo ficará claro. É claro que Tony, o irmão mais novo de Alice, estava presente, assim como seus amigos Miguel, Lilian e vários outros.

Depois de muitas brincadeiras e truques de mágica, o grupo todo quis ouvir alguns enigmas lógicos.

— Aqui está um que é bom — eu disse. Existem dois gêmeos idênticos. Um deles sempre mente, e o outro sempre diz a verdade.

— Como é o nome deles? — perguntou Tony.

— Um deles se chama *João* — respondi.

— Que nome comum! — exclamou Miguel. Parece que qualquer Zé Mané se chama *João*!

Não pude deixar de ficar meio intrigado com esse comentário.

— Qual é o nome do outro irmão? — perguntou Tony.

— Não me lembro — respondi.

— Por que você não se lembra? — perguntou Miguel.

— Não tenho a menor ideia de *por que* não me lembro — retruquei —, e o nome do outro irmão não tem importância.

— O João é o que mente, ou é o irmão dele? — perguntou Lilian.

— Boa pergunta — respondi —, mas, infelizmente, ninguém sabe se quem mente é João ou o irmão dele.

— Mas, qual é o problema? — perguntou Alice.

— O problema é o seguinte: suponha que você encontre os dois irmãos e queira descobrir qual deles é o João. Você só pode fazer uma pergunta a um deles, e a pergunta tem que ser respondida por *sim* ou *não*. Além disso, a pergunta não pode ter mais de três palavras. O que você perguntaria?

— Três palavras! — exclamou Miguel, atônito.

— Sim, três palavras — respondi. Na verdade — continuei —, isso facilita o problema; não existem muitas perguntas de três palavras!

— Já sei! — disse um dos amigos de Alice. Pergunte a um deles: "Você é João?"

— Isso não vai funcionar — disse Miguel. Suponha que ele responda sim. Que é que isso prova? Coisa nenhuma; ele pode estar mentindo ou dizendo a verdade.

— Já sei! — disse outro. Pergunte a um deles: "Água é molhada?"

— Não vai adiantar — disse Alice. Se ele responder sim, você saberá que está dizendo a verdade, e, se responder não, você saberá que é o que mente, mas continuará sem saber se ele é ou não o João.

— Exatamente! — comentei.

— Mas, você vai saber se ele mente ou não — disse Tony.

— É verdade — respondi —, mas o problema não é esse. O problema não é descobrir o mentiroso, mas descobrir qual deles é o João.

— Tenho uma ideia! — disse outro. Que tal perguntar: "Você é mentiroso?"

— Essa pergunta é inútil! — disse Lilian. Você deve saber de antemão que a resposta que vai receber é não, quer se dirija ao que mente ou ao que diz a verdade.

— E por quê? — perguntou outro.

— Porque — respondeu Lilian — quem diz a verdade nunca mentiria, dizendo-se mentiroso, e um mentiroso nunca admitiria sinceramente estar mentindo. Portanto, em qualquer dos casos, você ouvirá não como resposta.

— Muito bem — disse eu.

— Então, que pergunta vai funcionar? — perguntou Tony.

— Ah, esse é o enigma que você tem que resolver!

Bem, o grupo debateu o problema por algum tempo e, final-mente, chegou a uma pergunta de três palavras que realmente funciona. Você é capaz de descobrir essa pergunta? (A solução é fornecida no fim do livro.)

♖ ♖ ♖

Depois que eles resolveram o problema, Alice perguntou:— Suponha que, em vez de tentar descobrir qual deles é o João, você quisesse saber se o João é o mentiroso ou o que diz a verdade. É possível fazer isso apenas com uma pergunta?

— Ah, com certeza! — respondi.

— Mas não com uma pergunta de três palavras — sugeriu Tony.

Pensei nisso por um momento.

— Pensando bem, *existe* uma pergunta de três palavras que resolve o problema — respondi enfim.

Será que o leitor consegue encontrar uma pergunta de três palavras que determine não qual deles é João, mas se João é o que mente?

Depois de servidos os refrescos, o grupo todo quis mais enigmas lógicos.

— Num dos seus livros — disse Alice, — você tinha uns quebra-cabeças sobre Alice no Espelho. Pode contar-nos mais alguns?

— Eu escrevi sobre *você* no Espelho? — perguntei.

— Não, sobre *mim*, não! — disse Alice, agitada. A outra Alice!

— Que Alice era essa? — perguntei.

— A do Espelho!

— Ah, em outras palavras, o seu reflexo!

— Não, não, não! — gritou Alice. Não era o *meu* reflexo. Não tinha absolutamente nada a ver *comigo*. Era a Alice da história do Lewis Carroll!

— Ah! — respondi, inocentemente.

— Bom, você vai nos contar mais algumas dessas histórias?

Pensei por um momento. — Que tal umas histórias sobre Alice no País das Maravilhas? — perguntei.

— Eu nunca estive *lá* no País das Maravilhas — respondeu Alice.

— Não, não, não! — exclamei, agitado. Eu não estava falando de *você*, estava falando da outra Alice!

— Que Alice? — perguntou Alice.

— Ora, a da história! — respondi, ainda agitado. (A essa altura, o grupo todo caiu na risada, encantado com o fato de Alice ter conseguido apanhar-me no mesmo truque que eu tinha feito com ela!)

— Eu só estava brincando — disse Alice, rindo —, assim como você. Mas, enfim, gostaria muito de ouvir algumas das suas histórias sobre Alice no País das Maravilhas.

E foi assim que começamos.

CAPÍTULO 2

Quem roubou as tortas?

A Rainha de Copas fez umas tortas
Certo dia de verão;
O Valete de Copas roubou as tortas
Sem hesitação.

Antiga cantiga infantil

 1

PRIMEIRA HISTÓRIA. — Que tal preparar-nos umas tortas saborosas? — perguntou o Rei de Copas à Rainha de Copas num dia fresco de verão.

— De que adianta fazer tortas sem geleia? — retrucou a Rainha, furiosa. A geleia é a melhor parte!

— Então, use geleia — disse o Rei.

— Não posso! — gritou a Rainha. Minha geleia foi roubada!

— É mesmo!?! — disse o Rei. Isso é muito grave! Quem a roubou?

— Como é que você espera que *eu* saiba quem a roubou? Se soubesse, eu a teria recuperado há muito tempo, e de quebra, teria a cabeça do patife!

Bem, o Rei mandou seus soldados explorarem a região em busca da geleia perdida, e ela foi encontrada na casa da Lebre de Março, do Chapeleiro Louco e do Leirão. Todos três foram imediatamente detidos e julgados.

— Ora, ora! — exclamou o Rei no julgamento. Quero chegar ao fundo dessa história! Não gosto de gente entrando na minha cozinha e furtando minha geleia!

— Por que não? — perguntou um dos porcos-da-índia.

— Abafem esse porco-da-índia! — gritou a Rainha. O porco-da-índia foi prontamente abafado. (Quem leu as *Aventuras de Alice no*

País das Maravilhas há de estar lembrado do sentido da palavra *abafar:* os oficiais da corte puseram o porco-da-índia dentro de um saco de lona cuja boca era amarrada com cordões, e sentaram em cima dele.)

— Pois muito bem — disse o Rei, depois de serenada a comoção do abafamento do porco-da-índia —, quero chegar ao fundo dessa história!

— O senhor já disse isso — observou um segundo porco-da-índia (e também foi prontamente abafado).

— Por acaso *você* roubou a geleia? — perguntou o Rei à Lebre de Março.

— Eu nunca roubei a geleia! — defendeu-se a Lebre de Março. (A essa altura, todos os porcos-da-índia restantes aplaudiram, e todos foram prontamente abafados.)

— E quanto a *você*? — rugiu o Rei para o Chapeleiro, que tremia feito vara verde. Acaso é você o culpado?

O Chapeleiro não conseguia emitir uma palavra; apenas ficou parado ali, com a respiração entrecortada, bebericando seu chá.

— Se ele não tem nada a dizer, isso só faz provar sua culpa — disse a Rainha —, portanto, cortem-lhe a cabeça imediatamente!

— Não, não! — implorou o Chapeleiro. Um de nós a roubou, mas não fui eu!

— Tomem nota disso! — disse o Rei ao júri. Essa prova pode vir a ser muito importante!

— E que tal *você*? — prosseguiu o Rei, dirigindo-se ao Leirão. Que tem a dizer sobre tudo isso? A Lebre de Março e o Chapeleiro estão dizendo a verdade?

— Pelo menos um deles está — respondeu o Leirão, que então caiu no sono pelo resto do julgamento.

Como revelaram as investigações posteriores, a Lebre de Março e o Leirão não estavam ambos dizendo a verdade.

Quem roubou a geleia? (Solução na p.147)

♛ 2

SEGUNDA HISTÓRIA. — Agora recuperamos a geleia — disse o Rei —, de modo que você pode fazer umas tortas para nós.

— Como posso fazer tortas sem farinha? — perguntou a Rainha.

—Você está querendo dizer que a farinha foi roubada? — gritou o Rei.

— Foi! — respondeu a Rainha. Encontre o patife e corte-lhe a cabeça!

— Ora, ora — disse o Rei —, não vamos ser precipitados!

Mesmo assim, era preciso encontrar a farinha. E com efeito, ela foi encontrada na casa da Lebre de Março, do Chapeleiro Louco e do Leirão, de modo que os três foram prontamente detidos e julgados.

No julgamento, a Lebre de Março declarou que o Chapeleiro a havia roubado. O Chapeleiro e o Leirão também fizeram declarações, mas, por alguma razão, essas declarações não foram anotadas, de maneira que não sei dizer quais foram. De qualquer modo, como se constatou, apenas um dos três havia roubado a farinha, e era o único dos três que dizia a verdade. Quem roubou a farinha?

♛ 3

TERCEIRA HISTÓRIA. — Bem, aqui está sua farinha — disse o Rei, satisfeito —, de modo que agora você pode fazer as tortas.

— Fazer tortas sem pimenta? — perguntou a Rainha.

— Pimenta! — exclamou o Rei, incrédulo. Quer dizer que você usa pimenta em suas tortas?

— Não muita — respondeu a Rainha.

— E suponho que ela tenha sido roubada!

— É claro! — disse a Rainha. Encontre a pimenta e, quando descobrir quem a roubou, corte-lhe...

— Vamos, vamos! — disse o Rei.

Bem, a pimenta tinha que ser encontrada, é claro. Agora, como todos vocês sabem, as pessoas que roubam pimenta nunca dizem a verdade.

— O quê?! — disse Alice (não a Alice do País das Maravilhas, mas a Alice dessa festa). Nunca ouvi falar disso antes!

— Não ouviu? — perguntei-lhe, com falsa surpresa.

—É claro que não! E tem mais, não acredito que ninguém mais tenha ouvido! Algum de vocês ouviu falar disso antes?

Todas as crianças abanaram a cabeça negativamente.

— Bem — disse eu —, para fins desta história, vamos presumir que as pessoas que roubam pimenta nunca dizem a verdade.

— Está bem — disse Alice, meio relutante.

Então, continuando a história, o suspeito mais óbvio era a cozinheira da Duquesa. No julgamento, ela fez apenas uma declaração: — Eu sei quem roubou a pimenta!

Supondo que as pessoas que roubam pimenta sempre mentem, a cozinheira é culpada ou inocente?

♛ 4

PORTANTO, QUEM ROUBOU A PIMENTA? Bem, os suspeitos seguintes do Rei foram a Lebre de Março, o Chapeleiro Louco e o Leirão. Os soldados foram mandados à casa deles, mas nenhuma pimenta foi encontrada. Mesmo assim, eles poderiam estar escondendo-a em algum lugar, de modo que foram detidos, com base nos princípios gerais.

No julgamento, a Lebre de Março afirmou que o Chapeleiro era inocente e o Chapeleiro afirmou que o Leirão era inocente. O Leirão resmungou uma declaração qualquer enquanto dormia, mas ela não foi registrada.

Como se constatou, nenhum inocente fizera uma afirmação falsa, e (como estamos lembrados) as pessoas que roubam pimenta nunca fazem afirmações verdadeiras. Além disso, a pimenta foi roubada por apenas uma criatura. Qual dos três é o culpado, se é que foi um deles?

♛ 5

ENTÃO, QUEM ROUBOU A PIMENTA? — Ora, ora, esse é realmente um caso difícil! — disse o Rei.

Os suspeitos seguintes, curiosamente, foram o Grifo, a Falsa Tartaruga e a Lagosta. No julgamento, o Grifo afirmou que a Falsa Tartaruga era inocente, e a Falsa Tartaruga disse que a Lagosta era culpada.

Mais uma vez, nenhum inocente mentiu e nenhum culpado disse a verdade.

Quem roubou a pimenta?

♛ 6

UM METAENIGMA. Nesse ponto, Alice (minha amiga) interrompeu minha história e disse:

— Sabe, Raymond, sua escolha dos personagens do último enigma não foi inteiramente satisfatória.

Pensei por alguns instantes e, de repente, percebi que menina extraordinariamente esperta era Alice!

Aqueles de vocês que leram *Alice no País das Maravilhas* conseguem entender por quê?

♛ 7

QUARTA HISTÓRIA. — Certamente me deu um bocado de trabalho encontrar a pimenta — disse o rei, aborrecido —, e duvido que as tortas fiquem muito melhores por causa disso! Pimenta, ora essa! Por que você não usa papel mata-borrão, já que está com a mão na massa? — acrescentou, sarcasticamente.

— Eu uso — respondeu a Rainha —, mas não muito.

— Muito engraçado! — disse o Rei. Seja como for, agora você tem sua pimenta de volta, portanto, quer *fazer o favor* de me preparar as tortas?

— Sem açúcar? — disse a Rainha.

— Qual é o problema: a geleia não é doce o bastante? — perguntou o Rei, impaciente.

— Preciso de açúcar para a massa, e meu açúcar foi roubado!

— Oh, outra vez, não! — disse o Rei, desanimado. Essas tortas nunca vão ficar prontas!

Bem, recuperar o açúcar revelou-se uma tarefa relativamente simples. Ele foi encontrado na casa da Duquesa e, como ficou provado pelos acontecimentos, fora roubado pela Duquesa ou pela Cozinheira, mas não pelas duas. Elas deram os seguintes depoimentos no julgamento:

DUQUESA: A cozinheira não roubou o açúcar.

COZINHEIRA: A Duquesa roubou o açúcar.

A que havia roubado o açúcar estava mentindo. (Não se sabe se a outra mentia ou dizia a verdade.)

Qual delas roubou o açúcar? Além disso, a outra estava mentindo ou dizendo a verdade?

♛ 8

QUINTA HISTÓRIA. — Bem — disse o Rei —, aqui está seu açúcar, de modo que você pode fazer as tortas para mim.

— Sem sal? — perguntou a Rainha.

Vejam só! O sal também tinha sido roubado! Bem, desta vez, descobriu-se que o culpado era a Lagarta, ou então Bill, o Lagarto, ou o Gato de Cheshire. (Um deles tinha entrado na cozinha e comido todo o sal; o pote ainda estava lá.) Os três foram julgados e fizeram as seguintes declarações no tribunal:

LAGARTA: Bill, o Lagarto, comeu o sal.

BILL, O LAGARTO: É verdade!

GATO DE CHESHIRE: Eu não comi o sal!

Acontece que pelo menos um deles mentiu e pelo menos um disse a verdade.

Quem roubou o sal?

♛ 9

SEXTA HISTÓRIA. — Aqui está um pouco mais de sal, de modo que você já pode fazer as tortas — disse o Rei.

— Não posso — disse a Rainha. Alguém roubou minha assadeira.

— A assadeira! — gritou o Rei. Bem, é claro que teremos que pegar *isso* de volta!

Dessa vez, a busca reduziu-se ao Lacaio-Rã, ao Lacaio-Peixe e ao Valete de Copas. Eles fizeram as seguintes declarações em juízo:

LACAIO-RÃ: Ela foi roubada pelo Lacaio-Peixe.

LACAIO-PEIXE: Majestade, *eu* não a roubei!

VALETE DE COPAS: Eu a roubei!

— Que bela ajuda é *você*! — gritou o Rei para o Valete. Você costuma mentir desbragadamente!

Bom, acontece que no máximo um deles estava mentindo.

Quem roubou a assadeira?

♛ 10

SÉTIMA HISTÓRIA. — Aqui está a assadeira — disse o Rei, — de modo que agora você pode fazer as tortas.

— Sem receita? — perguntou a Rainha.

— Use sua receita de praxe — gritou o Rei, impaciente —; da última vez, suas tortas estavam deliciosas!

— Não posso — disse a Rainha. A receita está no meu livro de receitas, e o livro de receitas acaba de ser roubado!

Bem, o suspeito mais provável era a Cozinheira da Duquesa, e o livro de receitas foi realmente encontrado na cozinha da Duquesa. Os únicos suspeitos possíveis eram a Cozinheira, a Duquesa e o Gato de Cheshire.

— O Gato de Cheshire o roubou! — disse a Duquesa no julgamento.

— Oh, sim, eu o roubei! — disse o Gato de Cheshire, com um sorriso.

— Eu não o roubei! — disse a Cozinheira.

Como se veio a constatar, o ladrão havia mentido e pelo menos um dos outros dissera a verdade.

Quem roubou o livro de receitas?

♛ 11

SÉTIMA HISTÓRIA (CONTINUAÇÃO). Logo depois que o livro de receitas foi devolvido à Rainha, ele foi roubado pela segunda vez — agora, pela Duquesa, pela Cozinheira ou pelo Gato de Cheshire.

No julgamento, eles deram exatamente as mesmas declarações do julgamento anterior. Só que, dessa vez, o ladrão mentiu, e os outros dois ou mentiram ou disseram a verdade.

Quem roubou o livro de receitas dessa vez?

♛ 12

OITAVA HISTÓRIA. — Bem, aqui está de novo o seu livro de receitas — disse o Rei —, de modo que agora você já tem a receita. Portanto, faça as tortas para mim!

— Sem leite, manteiga nem ovos?

— Ai, ai, ai! — exclamou o Rei. Assim é demais!

— E, desta vez, eu *sei* que foram a Lebre de Março, o Chapeleiro Louco e o Leirão — berrou a Rainha, batendo com os pés, num acesso de raiva. Na verdade, eu os *vi* escapulindo pela janela quando entrei na cozinha. Cada um estava carregando uma coisa, mas não sei dizer quem estava carregando o quê.

— Vamos resolver *isso* já! — vociferou o Rei.

Pois bem, todos os ingredientes foram encontrados na casa da Lebre de Março, do Chapeleiro e do Leirão. Os três foram julgados e fizeram as seguintes afirmações no julgamento:

LEBRE DE MARÇO: O Chapeleiro roubou a manteiga.

CHAPELEIRO: O Leirão roubou os ovos.

LEIRÃO: Eu roubei o leite.

Acontece que quem roubou a manteiga disse a verdade e quem roubou os ovos mentiu.

Quem roubou o quê?

♛ 13

ÚLTIMA HISTÓRIA. — Bem, aqui estão sua manteiga, seus ovos e seu leite de volta — disse o Rei —, e estou vendo que você está com a geleia, a farinha, o açúcar, o sal, a assadeira e o livro de receitas, e até com sua pimenta. Agora, *com certeza* pode me fazer as tortas!

Bem, a Rainha fez uma fornada maravilhosa de tortas. — Estão ainda melhores que da última vez — disse a Rainha consigo mesma. Tenho certeza de que o Rei vai ficar encantado!

A Rainha foi até os Aposentos Reais anunciar ao Rei que as tortas estavam prontas. De braços dados, os dois desceram até a cozinha, mas, ao chegarem lá, encontraram a mesa vazia — toda a travessa de tortas havia sumido!

— Ora, isso já foi longe demais! — gritou o Rei, empalidecendo de raiva. Quem entra assim sorrateiramente em minha casa? Estou começando a pensar em *realmente* executar o culpado!

Bom, nem é preciso dizer que o culpado não foi realmente executado, mas foi apanhado e as tortas foram inteiramente recuperadas. Isso termina minha história.

— Que quer dizer com *isso termina sua história*? — perguntou (a verdadeira) Alice, agitada. Você não nos disse quem roubou as tortas, nem se houve um julgamento, e, se houve, o que aconteceu no julgamento: você não nos disse *nada*!

— Bem, houve um julgamento — acrescentei —, mas ele foi muito complicado e, para vocês descobrirem quem foi o culpado, precisarão resolver um quebra-cabeça lógico complicado, de modo que acho que vou esperar uns anos, até vocês todos crescerem, e então lhes contarei o que aconteceu.

— Não, nós queremos saber o que aconteceu! — disse Tony.

— Eu lhes direi o que aconteceu — respondi —, mas daqui a mais alguns anos, quando todos tiverem crescido.

— Não, não, nós queremos saber *agora*! — gritaram todos.

— Está bem — retruquei —, mas vocês não vão me culpar se eu lhes der um quebra-cabeça lógico *muito* complicado?

— Não vamos culpá-lo, não mesmo. Mas pare de nos manter em suspense, conte-nos o que aconteceu!

E assim, continuei...

Bem, como eu tinha dito, o julgamento foi muito complicado. O primeiro suspeito foi o Valete de Copas, mas surgiram provas circunstanciais que deixaram claro, sem nenhuma dúvida plausível, que ele não poderia ter roubado as tortas. O suspeito seguinte foi o Leirão. Entretanto, várias testemunhas fidedignas depuseram que ele tinha estado dormindo a sono solto na hora do roubo, de modo que não podia ter sido o Leirão. A essa altura, o julgamento chegou a um impasse completo.

De repente, a porta do tribunal se escancarou e o Coelho Branco entrou, orgulhosamente, trazendo a travessa de tortas. Atrás dele vinham os soldados, arrastando o Grifo e a Falsa Tartaruga, acorrentados.

— As tortas foram encontradas na praia — explicou o Coelho Branco. O Grifo e a Falsa Tartaruga estavam prestes a comê-las, quando os soldados passaram por lá e os puseram sob custódia.

— Isso prova a culpa deles, sem a menor sombra de dúvida — gritou a Rainha —, portanto, cortem-lhes as cabeças imediatamente!

— Vamos, vamos — disse o Rei —, temos que dar-lhes um julgamento justo, você sabe!

Bem, surgiram acontecimentos que provaram que o Grifo e a Falsa Tartaruga não eram *ambos* culpados, e o que restava saber era se um deles era culpado e, nesse caso, qual; ou se o culpado seria outro. Teria sido mera coincidência as tortas serem encontradas pelo Grifo e pela Falsa Tartaruga? Não; logo surgiram indícios que provaram conclusivamente que um dos dois, o Grifo ou a Falsa Tartaruga, era o culpado (mas não os dois), porém o tribunal não via meio de decidir qual deles. Parecia impossível fazer novos progressos, mas, de repente, apareceu uma porção de testemunhas, todas dando vários depoimentos.

— O Grifo não roubou as tortas — disse a Duquesa.

— Mas ele roubou outras coisas no passado — disse a Cozinheira.

— A Falsa Tartaruga roubou coisas no passado — disse o Gato de Cheshire.

— O Gato de Cheshire roubou coisas no passado — disse a Lagarta.

— A Cozinheira e o Gato de Cheshire têm razão — disse a Lebre de Março.

— A Cozinheira e a Lagarta têm razão — disse o Leirão.

— Ou o Gato de Cheshire ou a Lagarta tem razão, e talvez os dois — disse o Chapeleiro.

— Ou a Lebre de Março ou o Leirão tem razão, e talvez os dois — disse Bill, o Lagarto.

— Tanto a Cozinheira quanto o Chapeleiro têm razão — disse o Valete de Copas.

— Bill, o Lagarto, tem razão, e o Valete de Copas está errado — disse o Coelho Branco.

Houve um silêncio mortal.

— Nada disso prova coisa alguma! — esbravejou o Rei. São só palavras, palavras, palavras, tudo palavras inúteis!

— Nem tão inúteis assim, Majestade — disse Alice, levantando-se no júri. Acontece que o Coelho Branco e a Duquesa fizeram declarações que ou são ambas verdadeiras, ou ambas falsas.

Todos os olhos se voltaram avidamente para Alice. Ora, todos sabiam que Alice só fazia afirmações verdadeiras, e as investigações posteriores mostraram que essa afirmação não era uma exceção. Além disso, a declaração solucionava o mistério inteiro.

Quem roubou as tortas?

CAPÍTULO 3

Quem é louco?

> — *Naquela* direção — disse o Gato, apontando com a pata direita — mora um Chapeleiro. E *naquela* — acrescentou, levantando a outra pata — mora a Lebre de Março. Visite qualquer um dos dois: ambos são loucos.
>
> — Mas, eu não quero me encontrar com gente louca — comentou Alice.
>
> — Ah, você não tem como evitar isso — replicou o Gato. Todos aqui somos loucos.
>
> *Aventuras de Alice no País das Maravilhas*
> Capítulo Seis

Logo depois do julgamento, Alice encontrou a Duquesa, e as duas tiveram a seguinte conversa extraordinária.

— O Gato de Cheshire disse que todos aqui são loucos — disse Alice. Isso é mesmo verdade?

— É claro que não — retrucou a Duquesa. Se fosse mesmo verdade, o Gato também seria louco, donde você não poderia confiar no que ele diz.

Isso pareceu perfeitamente lógico a Alice.

— Mas, vou contar-lhe um grande segredo, minha cara — continuou a Duquesa. *Metade* das criaturas daqui são loucas, totalmente loucas!

— Isso não me surpreende — disse Alice —, muitas me pareceram *bastante* loucas!

— Quando eu digo *totalmente* loucas — prosseguiu a Duquesa, ignorando por completo a observação de Alice —, quero dizer exatamente o que digo: Elas são completamente delirantes! Todas as suas crenças são erradas — não apenas algumas, mas *todas*. Tudo o que é verdadeiro elas acreditam que é falso, e tudo o que é falso, acreditam que é verdadeiro.

Alice refletiu um pouco sobre essa estranhíssima situação. — A pessoa ou criatura louca acredita que dois mais dois são cinco? — perguntou.

— Ora, é claro, menina! Já que dois mais dois não são cinco, naturalmente a pessoa louca acredita que são.

— E a pessoa louca também acredita que dois mais dois são seis?

— É claro — respondeu a Duquesa —; já que não são, o louco acredita que são.

— Mas, não é possível que sejam iguais a cinco *e* a seis! — exclamou Alice.

— É claro que não — concordou a Duquesa —, *você* sabe disso e *eu* sei disso, mas o louco não sabe. E a moral da história é...

— E as pessoas sãs daqui? — interrompeu Alice (que já tinha ouvido moral mais do que suficiente para um dia). Imagino que a maioria de suas crenças esteja certa, mas que algumas estejam erradas, não é?

— Oh, não, não, não! — disse a Duquesa, em tom muito enfático. Isso pode ser verdade lá de onde *você* vem, mas, por aqui, as pessoas sadias são cem por cento exatas em suas crenças! Tudo o que é verdade elas sabem que é verdade, e tudo o que é falso elas sabem que é falso.

Alice refletiu sobre isso. — Quem são os sadios e quem são os loucos aqui? — perguntou. Eu gostaria muito de saber.

♛ 14

A LAGARTA E O LAGARTO. — Bem — respondeu a Duquesa —, considere, por exemplo, a Lagarta e Bill, o Lagarto. A Lagarta acredita que ambos são loucos.

— Qual deles é realmente louco? — perguntou Alice.

— Eu não deveria precisar lhe dizer *isso*! — retrucou a Duquesa. Dei-lhe informações suficientes para que você deduza a resposta.

Qual é a solução? A Lagarta é louca ou sã? E o Lagarto?

♛ 15

A COZINHEIRA E O GATO. — Há também minha cozinheira e o Gato de Cheshire — continuou a Duquesa. A Cozinheira acredita que pelo menos um dos dois é louco.

Que pode você deduzir sobre a Cozinheira e o Gato?

♛ 16

O LACAIO-PEIXE E O LACAIO-RÃ. — Isso foi muito interessante — disse Alice. Os dois casos são bem diferentes.

— É claro que são, minha cara! E a moral da história é que ser ou não ser não é a mesma coisa que ser *e* não ser.

Alice tentou entender o que a Duquesa tinha querido dizer, mas a Duquesa interrompeu seus pensamentos.

— Há também meus dois lacaios, o Lacaio-Peixe e o Lacaio-Rã. Você já os conheceu?

— Ah, sim, com certeza! — disse Alice, lembrando-se da grosseria indizível deste último.

— Bem, o Lacaio-Peixe acha que ele e o Lacaio-Rã são iguais; em outras palavras, que ou os dois são sadios, ou ambos são loucos. E agora, minha cara, cabe a *você* dizer quem são os loucos.

Alice não entendeu muito bem por que isso devia caber a *ela*. Mesmo assim, o quebra-cabeça lhe interessava, de modo que trabalhou nele por algum tempo.

— Acho que não consigo resolvê-lo — disse Alice. Sei o que um dos lacaios é, mas não consigo decifrar o outro.

— Ora, você já *resolveu*, coisa preciosa! — disse a Duquesa, abraçando Alice. O outro lacaio *não pode* ser decifrado a partir do que eu lhe disse. Na verdade, nem *eu* sei o que o outro é.

Qual dos lacaios você sabe que é são ou louco, e o que é ele?

♕ 17

O REI E A RAINHA DE OUROS. — E há também o Rei e a Rainha de Ouros — começou a Duquesa.

— O Rei e a Rainha de Ouros? — perguntou Alice. Não creio que os tenha conhecido; na verdade, nem sabia que eles estavam aqui.

— Todas as cartas estão aqui — disse a Duquesa. Enfim, ouvi um boato de que a Rainha de Ouros era louca. Mas eu não sabia ao certo se a pessoa que me disse isso era louca ou sã, de modo que resolvi verificar por mim mesma.

— Bem — prosseguiu a Duquesa —, um dia encontrei o Rei de Ouros sem sua Rainha. Eu sabia que ele era absolutamente franco, embora de sanidade duvidosa, de modo que o que quer que ele dissesse seria, pelo menos, algo que ele *acreditaria* ser verdade.

"Sua pobre esposa é realmente louca?" perguntei-lhe, com simpatia.

"Ela acredita que sim", respondeu o Rei.

Que se pode deduzir sobre o Rei e a Rainha de Ouros?

♕ 18

E QUE TAL ESTES TRÊS? — Sempre tive dúvidas quanto à Lebre de Março, o Chapeleiro e o Leirão — disse Alice. O Chapeleiro é *chamado* de Chapeleiro Louco, mas, será realmente louco? E que dizer da Lebre de Março e do Leirão?

— Bem — respondeu a Duquesa —, o Chapeleiro externou, certa vez, a crença em que a Lebre de Março não acredita que todos três sejam sadios. Além disso, o Leirão acredita que a Lebre de Março é sã.

O que você pode deduzir sobre esses três?

♕ 19

E ESTES TRÊS? — Além disso, há o Grifo, a Falsa Tartaruga e a Lagosta — começou a Duquesa.

— Eu não sabia que havia uma lagosta de verdade aqui — retrucou Alice. Só a conheço de um poema.

— Ah, sim, *existe* uma lagosta de verdade, e é tão grande quanto a Falsa Tartaruga — respondeu a Duquesa. — Mas, enfim, certa vez a Lagosta disse acreditar que o Grifo acredita que exatamente um dos três é são. A Falsa Tartaruga acredita que o Grifo é são.

Que pode você deduzir sobre esses três?

♛ 20

E AGORA, QUE TAL ESTES DOIS? — Sabe — disse Alice, em voz *muito* baixa, olhando em volta para ver se a Rainha de Copas não estava por perto, podendo ouvi-la —, estou particularmente interessada em saber sobre o Rei e a Rainha de Copas. O que eles são?

— Ah — disse a Duquesa —, essa é realmente uma história interessante! A Rainha acredita que o Rei acredita que a Rainha acredita que o Rei acredita que a Rainha é louca.

— Ora, isso é demais! — exclamou Alice. Acho que *eu* vou enlouquecer se tentar decifrar esse enigma!

— Muito bem — disse a Duquesa, bem-humorada —, vamos tentar outro mais fácil, primeiro. Por exemplo, pense no Rei e na Rainha de Espadas.

Houve uma longa pausa.

— Que é que há com o Rei e a Rainha de Espadas? — indagou Alice.

— Bom, a Rainha acredita que o Rei acredita que ela é louca. O que você pode me dizer sobre o Rei e a Rainha de Espadas?

♛ 21

O REI E A RAINHA DE PAUS. — Você acertou essa com muita facilidade — disse a Duquesa. Agora, que diria se eu lhe dissesse que o Rei de Paus acredita que a Rainha de Paus acredita que o Rei de Paus acredita que a Rainha de Paus é louca?

♛ 22

E AGORA, QUE DIZER DA RAINHA DE COPAS? Alice ponderou sobre o último enigma e disse: — Se você me tivesse dito isso (o que, é claro, não fez), receio que eu teria que concluir que *você* deve ser louca!

— E estaria certa! — exclamou a Duquesa. Mas é claro que eu nunca lhe diria uma coisa impossível dessas!

— E agora — prosseguiu a Duquesa —, você deve poder resolver o enigma do Rei e da Rainha de Copas. Lembre-se do que eu lhe disse: A Rainha acredita que o Rei acredita que a Rainha acredita que o Rei acredita que ela é louca. A pergunta é: a Rainha de Copas é louca ou sã?

♛ 23

O DODÓ, O PAPAGAIO E O AGUIOTO. — E há ainda o Dodó, o Papagaio e o Aguioto — disse a Duquesa. O Dodó acredita que o Papagaio acredita que o Aguioto é louco. O Papagaio acredita que o Dodó é louco, e o Aguioto acredita que o Dodó é são.

— Você consegue decifrar essa? — perguntou a Duquesa.

♛ 24

O VALETE DE COPAS. Alice resolveu o último enigma. — Acho que sei *por que* metade das pessoas daqui é louca — disse.

— Por quê? — perguntou a Duquesa.

— Acho que elas enlouqueceram tentando decifrar enigmas como *esses*. Eles são terrivelmente confusos!

— Em matéria de enigmas *confusos* — respondeu a Duquesa —, esses não são nada, comparados a alguns que eu *poderia* lhe contar, se quisesse!

— Oh, não precisa querer! — disse Alice, da maneira mais polida possível.

— Por exemplo, existe o Valete de Copas — continuou a Duquesa —; ele faz companhia aos Jardineiros de Espadas, Um, Dois, Três, Quatro, Cinco, Seis e Sete. Creio que você já conheceu o Dois, o Cinco e o Sete, não é?

— Ah, sim — lembrou-se Alice. Eles estavam tendo um trabalhão, tentando pintar as rosas brancas de vermelho, porque haviam plantado por engano uma roseira branca no jardim, em vez da roseira vermelha que a Rainha tinha mandado.

— Bem — disse a Duquesa —, o Três acredita que o Um é louco. O Quatro acredita que o Três e o Dois não são ambos loucos. O Cinco acredita que o Um e o Quatro são ambos loucos, ou então, ambos sãos. O Seis acredita que o Um e o Dois são ambos sadios. O Sete acredita que o Cinco é louco. Quanto ao Valete de Copas, ele acredita que o Seis e o Sete não são ambos loucos.

— E agora — prosseguiu a Duquesa —, você se importa em descobrir se o Valete é louco ou são, ou prefere um quebra-cabeça mais confuso?

— Oh, não — respondeu a pobre Alice —, esse já é *bastante* confuso, obrigada!

O Valete de Copas é louco ou são?

♛ 25

A AVALIAÇÃO DO GRIFO. — Sabe — disse a Duquesa, com um risinho abafado —, é engraçado, é mesmo muito engraçado!

— O quê? — perguntou Alice.

— Ora, a Cozinheira... ela acha que *eu* sou louca. Não é hilário? Alice não percebeu por que isso era tão engraçado.

— Seja como for, minha cara — continuou a Duquesa —, agora tenho que ir para o jogo de croquet. Foi um prazer conversar com você outra vez.

Depois que a Duquesa se foi, Alice passou um bom tempo pensando. Estava tão imersa em pensamentos que nem reparou no Grifo, que acabara de chegar.

— Com que é que você está quebrando tanto a cabeça? — perguntou o Grifo.

Alice contou-lhe então toda a conversa que tivera com a Duquesa.

— É tudo fantasia dela, ora se é — disse o Grifo, com um risinho furtivo. Você não pode acreditar na história *dela*, não pode.

— Por que não? — perguntou Alice.

— Porque não tem coerência, de jeito nenhum! Não faz o menor sentido! É pura imaginação dela, pode crer!

Alice refletiu sobre isso. — Será possível que a Duquesa estivesse mentindo? — perguntou.

— Não, ela não estava mentindo — respondeu o Grifo —, apenas fantasiou essa história toda; ela fantasia uma porção de coisas!

Então, o Grifo explicou a Alice por que a história da Duquesa, como um todo, era impossível — e tinha razão! Se você reexaminar todas as coisas que a Duquesa disse, verá que elas não têm coerência (presumindo que a Duquesa não estivesse mentindo deliberadamente).

Como se pode provar isso?

CAPÍTULO 4

O Grifo e a Falsa Tartaruga

A. O Grifo explica seu método

— Como você vê, eu tinha razão — disse o Grifo —, era só a imaginação dela, mais nada!

— Eles fantasiam uma porção de coisas por aqui — prosseguiu. Por exemplo, no julgamento, fantasiaram que eu tinha roubado as tortas, mas eu nunca roubei torta nenhuma, eles é que fantasiaram que roubei!

— Não estou entendendo — disse Alice. Você foi julgado culpado e o Rei o sentenciou. Como é que não está na prisão?

— Eles não põem ninguém na prisão aqui — disse o Grifo, às gargalhadas —, só fantasiam que põem!

Alice matutou um pouco sobre esse estranho estado de coisas.

— Em todo caso — continuou o Grifo —, foram bonitos aqueles quebra-cabeças, aqueles que você resolveu lá nos julgamentos! Agora, você sabe qual é o tipo de enigma de que *eu* gosto?

— Não — disse Alice —, de que tipo você gosta?

— Do tipo *enigmático*, ora essa! — respondeu ele.

— Mas, é claro! — disse Alice. Os enigmas não costumam ser enigmáticos?

— É claro que não! — riu-se o Grifo. As pessoas é que fantasiam que eles são!

— Bom, nesse caso — perguntou Alice —, o que *você* chamaria de um enigma enigmático?

— Ora, o tipo pelo qual as pessoas *brigam* — respondeu o Grifo. Quando as pessoas brigam, aí é que começa a ficar divertido!

— E por que as pessoas brigariam por um enigma? — perguntou Alice.

— Ah, elas brigam, sabe? Umas acreditam numa coisa e outras acreditam noutra. Em geral, ambas estão erradas, e isso é que é engraçado!

— Pense no enigma de Jorge e o macaco — prosseguiu o Grifo. Já ouviu falar dele?

— Não, não creio — respondeu Alice.

— Bom, tinha esse macaco que estava de pé em cima de um realejo. Um garotinho, Jorge, queria implicar com o macaco, e aí, deu uma volta ao redor do realejo. Mas, enquanto ele dava a volta, o macaco ia girando e olhando para Jorge o tempo todo. Depois que Jorge deu a volta completa no realejo, ele tinha ou não tinha dado a volta em torno do macaco?

Alice refletiu sobre isso por um bocado de tempo.

— Na verdade, não tenho certeza — respondeu. Ele deu ou não deu a volta?

— Eu digo que não — respondeu o Grifo —, só que outros dizem diferente, ora se dizem!

— Mas, qual é o argumento deles? — perguntou Alice.

— Eles dizem que, como Jorge deu uma volta completa em torno do realejo, e já que o macaco estava em cima do realejo o tempo todo, a trajetória de Jorge descreveu um círculo completo ao redor do macaco, logo, Jorge deve ter andado em volta dele. Mas eu digo diferente: eu digo que, se Jorge tivesse andado em volta do macaco, teria visto as costas do macaco. E ele viu as costas do macaco? Não! Portanto, não pode ter andado em volta dele, de jeito nenhum!

— Isso é muito interessante! — disse Alice. De certo modo, entendo os dois pontos de vista, e não sei ao certo qual deles acho mais convincente.

— Bem, aqui temos outro — disse o Grifo.

— Havia um comerciante americano que vendia aparelhos usados. Um cliente comprou dele um aparelho usado, por dez dólares. Logo depois da compra, o freguês concluiu que não gostava da engenhoca, de modo que a vendeu de volta ao comerciante por oito dólares. Aí, veio outro cliente e comprou o aparelho do comerciante por nove dólares. Que lucro teve o comerciante?

Alice refletiu durante algum tempo.

— Bom, eu recebo três respostas diferentes de três tipos diferentes de pessoas — disse o Grifo, com um risinho abafado. O primeiro tipo me diz que o comerciante ganhou dois dólares do primeiro freguês, porque vendeu pra ele por dez dólares e comprou de volta por oito dólares. Mas aí, depois de comprar de novo por oito dólares e vender para o segundo por nove dólares, ele ganhou outro dólar. Portanto, ao todo, ele ganhou três dólares no negócio.

— O segundo tipo me diz que, pra começar, o aparelho vale dez dólares. Aí, assim como o primeiro tipo, ele diz que o comerciante ganha dois dólares do primeiro freguês. Mas depois, ele vende um artigo de dez dólares ao segundo cliente por apenas nove dólares, de modo que perde um dos dois dólares que tinha ganho. Logo, seu lucro líquido é de um dólar.

— Depois, há o terceiro tipo, que, como os outros dois, me diz que o comerciante ganhou dois dólares do primeiro freguês. Mas, quando ele vendeu o aparelho ao segundo por nove dólares, só fez trocá-lo pelos nove dólares que ele valia, de modo que não teve lucro nem prejuízo com o segundo freguês. Nesse caso, o lucro dele continua em dois dólares.

— Portanto — continuou o Grifo, rindo —, um me diz que ele ganhou três dólares, outro que ganhou dois, e um que ele ganhou um. Você não acha isso engraçado?

— Qual deles está certo? — perguntou Alice.

— Nenhum está certo, ora essa! — respondeu o Grifo. Eles só acham que estão, você sabe.

— Mas, então, qual é a *sua* solução? — perguntou Alice.

— A *certa*, menina, a certa! — respondeu o Grifo. Só tem um jeito certo de entender isso, que é o seguinte: você não pode saber qual é o lucro, de jeito nenhum, se não souber o que o comerciante pagou pelo aparelho em primeiro lugar!

— Quer ter a bondade de explicar isso? — pediu Alice.

— Olhe — disse ele —, o que a gente quer dizer com lucro? Bom, quando alguém compra e vende alguma coisa, o lucro é a diferença entre a quantia que ele recebe pelo artigo e a quantia que pagou por ele. Portanto, se eu fosse lhe vender por nove dólares uma coisa pela qual tivesse pago sete, eu teria um lucro de dois dólares. Tem alguma coisa mais clara do que isso?

— Não — respondeu Alice —, isso me parece correto.

— *Parece*, criança? Que nada, está! — respondeu o Grifo. Então, esse comerciante recebeu onze dólares: primeiro recebeu dez, depois deu oito, ficando com dois, e depois pegou mais nove, o que dá onze. Portanto, o comerciante teria ganho a mesma coisa, em matéria de dinheiro, se, em vez desses três negócios, tivesse tido um freguês só e vendido o aparelho por onze dólares, logo de saída. Certo?

— Sim — respondeu Alice —, entendo.

— Então, obviamente, o lucro do comerciante foi de onze dólares, menos seja lá o que for que ele pagou pelo aparelho. Pode alguma coisa ser mais clara do que isso?

— Não — disse Alice —, estou de pleno acordo com você.[1]

O Grifo certamente parece entender de aritmética, pensou Alice, e seu raciocínio é incrivelmente lógico. Se pelo menos sua linguagem fosse mais clara!

— Está pensando o quê? — perguntou o Grifo.

Alice levou um ligeiro susto com essa interrupção de seus pensamentos.

— Eu estava pensando — respondeu, com toda a polidez de que era capaz —, que você é muito bom em aritmética.

— Eu sei que sou! — disse o Grifo. Escute só, deixe eu experimentar um outro com você. Conhece o enigma das tortas de framboesa?

— Você está se referindo às tortas roubadas? — perguntou Alice.

— Oh, não, *aquelas* não! — retrucou rapidamente o Grifo, que não sentia a menor vontade de falar *desse* assunto! Estou falando de tortas completamente *diferentes*!

— Nesse caso, acho que não conheço — respondeu Alice.

— Bem, olhe só, a Lebre de Março e o Chapeleiro estavam tomando chá...

— E o Leirão? — indagou Alice.

— O Leirão estava ferrado no sono o tempo todo, de modo que não aparece nesse enigma. Enfim, os dois estavam comendo tortas de framboesa no chá. Ora, o Chapeleiro tinha três vezes mais tortas que a Lebre de Março, e a Lebre de Março não estava gostando disso.

— Eu não a censuro! — comentou Alice.

— Em todo caso, de má vontade, o Chapeleiro deu uma de suas tortas a ela. "Isso não basta!", gritou a Lebre de Março, zangada.

---

1. Essa é uma variante de um famoso quebra-cabeça do norte-americano Sam Lloyd.

"Você ainda tem o dobro do que eu tenho!" Pois então, o problema é: Quantas outras tortas o Chapeleiro tem que dar à Lebre de Março para que os dois fiquem com a mesma quantidade?

— Quantas eram as tortas, ao todo? — perguntou Alice.

— Isso eu não vou lhe dizer! — gritou o Grifo. Aí fica fácil demais!

Alice achou estranho que o enigma pudesse ser resolvido sem saber quantas tortas havia, mas resolveu tentar. Pensou por algum tempo, e então abanou a cabeça.

— Acho que não sei resolver esse. Tenho certeza de que, se minha irmã estivesse aqui, ela saberia. Ela é mais velha do que eu, sabe?, e aprendeu álgebra. Tenho certeza de que se poderia fazer isso com a álgebra.

— Você não precisa de álgebra nenhuma! — riu-se o Grifo. É só uma fantasia sua achar que precisa!

— Bem, o único jeito que concebo de fazer isso é por ensaio e erro: tentar, até finalmente adivinhar o número certo de tortas.

— Você não precisa de nenhuma adivinhação! — disse o Grifo. Não precisa de adivinhação e também não precisa de álgebra! Ora, eu sei que nas escolas eles ensinam esse tipo de coisa com a álgebra, mas eu não andei muito em escola nenhuma, daí que inventei meu próprio método... e ele é exatamente tão bom quanto os que eles lhe ensinam!

— É mesmo? — disse Alice. Eu estaria *muito* interessada em ver o seu método. Como é ele?

— Bem — disse o Grifo, sua primeira pergunta estava certa: quantas tortas havia, ao todo?

— Agora estou percebendo — respondeu Alice — que, se eu soubesse *isso*, o resto seria fácil.

— Certo — disse o Grifo. Então, para descobrir quantas tortas deve haver, é assim que eu entendo: no começo, o Chapeleiro tinha o triplo das tortas da Lebre de Março, o que significa que tinha três partes das tortas, comparadas a uma parte da Lebre de Março; em outras palavras, ele tinha três de quatro partes, de modo que começou com três quartos das tortas.

— Isso mesmo — disse Alice —, ele tinha três quartos e a Lebre de Março tinha um quarto, e, como três quartos são três vezes um quarto, o Chapeleiro tinha mesmo três vezes mais do que a Lebre de Março, no começo.

— Muito bem — disse o Grifo. Então, depois de ele dar uma torta à Lebre de Março, ficou com o dobro das tortas dela. Que fração de todas as tortas ele passou a ter?

— Vejamos — disse Alice. Usando o mesmo raciocínio, ele tinha duas partes para uma parte da Lebre de Março; em outras palavras, de cada três tortas, o Chapeleiro tinha duas e a Lebre de Março tinha uma. Isso quer dizer que o Chapeleiro tinha dois terços das tortas e a Lebre de Março tinha um terço.

— Certíssimo — disse o Grifo.

— Bem, e para onde vamos a partir daí? — perguntou Alice.

— Ah — disse o Grifo —, a questão toda é que, ao dar à Lebre de Março apenas uma torta, o Chapeleiro reduziu sua cota de três quartos para dois terços. Então, de quanto é essa redução? Em outras palavras, que fração das tortas, ao ser subtraída de três quartos, deixa dois terços?

— Não tenho certeza de estar entendendo o que você diz — respondeu Alice.

— O que eu estou perguntando, na verdade, é: quanto são três quartos menos dois terços? Esse é o valor que precisa ser subtraído de três quartos para chegar a dois terços!

— Ah, entendi! — disse Alice. Então, vejamos: três quartos menos dois terços? Primeiro, acho melhor reduzirmos tudo a doze avos.

— Pode ter certeza de que é melhor! — retrucou o Grifo.

— Ora, três quartos são nove doze avos, e dois terços são oito doze avos, donde a diferença é de um doze avos.

— Certo — disse o Grifo. E agora, você já sabe resolver o enigma?

— *Ainda* não sei como! — respondeu Alice.

— Então, você não entendeu nada! — retrucou o Grifo. A questão é que, ao dar à Lebre de Março uma torta, ele lhe deu um doze avos do número total de tortas. Logo, uma torta é um doze avos do número de tortas. Portanto...

— Portanto, havia doze tortas! — interrompeu Alice, animada.

— Isso quer dizer que, originalmente, o Chapeleiro tinha nove, que são três quartos de doze, e a Lebre de Março tinha três, e nove *são* três vezes três! Aí, o Chapeleiro deu uma à Lebre de Março, o que deixou oito para ele, e a Lebre de Março ficou com quatro, donde o Chapeleiro tinha o dobro das tortas dela. Logo, doze *é* o número certo!

— E o resto do enigma? — perguntou o Grifo.

— Ah, sim! — lembrou-se Alice. Bem, nessa etapa, o Chapeleiro fica com oito e a Lebre de Março com quatro. E aí, finalmente eles ficam com o mesmo número, que deve ser seis. Portanto, o Chapeleiro tem que dar mais duas tortas à Lebre de Março. Logo, a resposta do enigma é *dois*.

— Bravo! — disse o Grifo. Como você vê, eu tinha razão; você não precisava de álgebra nenhuma!

— Isso é extremamente interessante — disse Alice. Pode me dar mais um?

♛ 26

QUANTAS? — Ora, isso é o que eu chamo de uma boa aluna! — disse o Grifo. É claro que vou lhe dar outro. O princípio, agora, é um pouco diferente, mas tenho certeza de que você vai descobrir.

— Dessa vez, o Chapeleiro, a Lebre de Março e o Leirão estão todos tomando chá, e o Leirão está bem acordado e também quer tortas. Bem, o Chapeleiro já arrumou a mesa, e deu a si mesmo o triplo das tortas que deu à Lebre de Março, e o Leirão só recebeu metade das da Lebre de Março.

— O pobre Leirão foi mesmo quem levou a pior! — disse Alice, solidária.

— Decididamente! — replicou o Grifo. Seja como for, o Chapeleiro tinha vinte tortas a mais que o Leirão.

— Isso é um número *enorme* de tortas! — exclamou Alice.

— Nem tanto — respondeu o Grifo —, porque as tortas eram *extremamente* pequenas. Enfim, quantas tortas tinha cada um?

— E você não precisa de álgebra nenhuma! — acrescentou.

Qual é a solução?

♛ 27

VIRANDO A MESA! — O Chapeleiro sempre parece levar a melhor! — comentou Alice.

— Em geral, leva — respondeu o Grifo —, mas houve uma vez em que os outros dois foram à forra! Nessa ocasião, o Chapeleiro tinha posto a mesa e colocado *todas* as tortas em seu prato, sem deixar nada para a Lebre de Março ou o Leirão. Ora, a mesa tinha sido posta no jardim e, quando o Chapeleiro entrou em casa para preparar o chá, a Lebre de Março tirou rapidamente cinco dezesseis avos das tortas do prato e as comeu. Depois, o Leirão comeu sete onze avos das tortas que restavam. Isso deixou oito tortas para o Chapeleiro. Quantas tortas cada um dos dois comeu?

♛ 28

QUANTOS FAVORITOS? — Eis um tipo de enigma ligeiramente diferente — disse o Grifo. Certo dia, a Rainha de Copas estava recebendo trinta convidados. Tinha cem tortas para dividir entre eles. Em vez de cortar qualquer torta em pedaços, ela resolveu dar quatro a cada um de seus favoritos, e três a cada um dos outros convidados. Quantos favoritos tinha ela?

♛ 29

TORTAS GRANDES E TORTAS PEQUENAS. — Eis mais um — disse o Grifo. O Chapeleiro teve que ir fazer compras, certo dia, para o chá que ia oferecer.

"Quanto custam suas tortas?" — perguntou ao balconista da loja.

"Depende do tamanho; temos pequenas e grandes. A grande custa o mesmo que três pequenas."

"Quanto me custaria comprar sete grandes e quatro pequenas?" — perguntou a Lebre de Março.

"Doze centavos mais do que se você comprasse quatro grandes e sete pequenas" — foi a resposta enigmática.

Quanto custa uma torta grande?

♛ 30

A VISITA. — Este aqui é bom — disse o Grifo. Certo dia, o Chapeleiro, a Lebre de Março e o Leirão foram visitar a Duquesa, a Cozinheira e o Gato de Cheshire. Lá chegando, não havia ninguém em casa. Havia uma fornada de tortas na mesa da cozinha. Primeiro, o Chapeleiro serviu-se de metade delas, e depois decidiu comer mais uma. Aí, a Lebre de Março comeu metade do que tinha restado, e mais uma. Depois, o Leirão comeu metade do que sobrou e mais uma. Nesse momento, o Gato de Cheshire chegou e comeu metade do que tinha sobrado e mais uma. Isso acabou com as tortas. Quantas tortas havia?

♛ 31

QUANTOS DIAS ELE TRABALHOU? — Veja um outro — disse o Grifo. Em geral, ele é resolvido pela álgebra; só que, se você usar o meu método, não vai precisar de álgebra nenhuma!

— Um dia, o Rei de Copas contratou um dos Jardineiros de Espadas por 26 dias, para trabalhar no jardim. O Rei estipulou de antemão que, por cada dia que trabalhasse, o jardineiro ganharia três tortas, mas, por cada dia que ficasse parado, não receberia torta alguma e, ao contrário, teria que pagar ao Rei uma torta.

Ocorreu uma ideia a Alice. — Suponha que o jardineiro ficasse parado tantos dias que acabasse devendo tortas ao Rei, e não tivesse nenhuma para lhe dar. Que aconteceria?

— Ele seria executado, é claro!

— Mas, eu achei que você tinha dito, uma vez, que eles nunca executam as pessoas aqui.[2]

— É claro que não — sorriu o Grifo. Mas *dizem* que executam, e isso basta para assustá-los, entende?

— Em todo caso — continuou o Grifo —, o jardineiro acabou ganhando 62 tortas. Quantos dias ele trabalhou?

Você parece mesmo muito interessado em *tortas*! — disse Alice, olhando atentamente para o Grifo.

— Ora, escute aqui, mocinha — disse ele —, se você ainda está pensando naquele julgamento, eu já lhe disse que nunca roubei aquelas tortas! Eles é que fantasiaram que roubei!

— Ainda não compreendo como você escapou de ir para a prisão! — disse Alice.

— Tive uma conversinha particular com o Rei depois do julgamento — explicou o Grifo.

Essa explicação não deixou Alice muito satisfeita.

— Vamos supor que a gente mude de assunto — disse ele —, já falamos bastante de tortas! Veja, deixe eu lhe contar um bom enigma sobre os carrilhões reais.

♛ 32

QUE HORAS ERAM? — Como é o quebra-cabeça sobre os carrilhões reais? — perguntou Alice.

---

2. Assim disse o Grifo nas *Aventuras de Alice no País das Maravilhas*.

— Bem, você sabe, o Rei de Copas tem seu carrilhão, e a Rainha de Copas tem o dela. Os dois tocam na mesma hora. O do Rei toca mais rápido que o da Rainha. De fato: o carrilhão do Rei toca três badaladas no mesmo espaço de tempo em que o da Rainha repica duas vezes. Um dia, numa certa hora, os dois carrilhões começaram a tocar ao mesmo tempo. Depois que o do Rei acabou de tocar, o da Rainha ainda deu mais duas badaladas. A que horas isso aconteceu?

B. *A Falsa Tartaruga entra na conversa*

— Gostei desse enigma — disse Alice. Foi simples, mas agradável. Gosto de enigmas sobre o tempo.

— Então, deixe-me contar-lhe o melhor que eu conheço! — disse o Grifo. Ei, por falar em tempo, aí vem a Falsa Tartaruga, e com certeza parece estar levando o dia inteiro nisso!

Alice ergueu os olhos e, de fato, lá vinha a Falsa Tartaruga, andando lentamente em direção a eles, suspirando e soluçando enquanto andava.

— Por que ela está *sempre* tão triste? — perguntou Alice.

— Eu já lhe disse, ela não tem nenhuma tristeza de verdade, só fantasia que tem! — respondeu o Grifo.

— E aí, amiga velha — disse o Grifo, quando a Falsa Tartaruga finalmente chegou onde eles estavam —, você perdeu uma porção de enigmas. Conte alguns a essa moça aqui, ela gosta desse tipo de coisa, se gosta!

A Falsa Tartaruga não respondeu, apenas deu um suspiro mais profundo e escondeu o rosto nas patas.

— Que é que houve, você está surda? — disse o Grifo. Conte-nos um enigma, estou dizendo!

— Eu... eu... não posso! — soluçou a Falsa Tartaruga.

— Por que não, você é muda ou coisa assim?

— É que... é só que...

— É só o *quê*? — perguntou o Grifo.

— É só que... é só que... eles são muito tristes! — soluçou a Falsa Tartaruga.

— Ora, deixe disso! — falou o Grifo. Conte-nos um e deixe que *nós* julguemos se é muito triste. E trate de não levar o dia inteiro!

— Bem — disse a Falsa Tartaruga —, conheço um muito triste, mas também muito bonito!

♛ 33

QUANTOS ESTAVAM PERDIDOS? Alice e o Grifo tiveram que esperar vários minutos até que a Falsa Tartaruga conseguisse recompor-se o bastante para continuar.

— Sabe — disse ela...

— Não sei! — respondeu o Grifo.

A Falsa Tartaruga não deu nenhuma resposta imediata, apenas tornou a esconder o rosto nas patas. Passado algum tempo, prosseguiu.

— Vamos dizer assim: havia nove homens perdidos nas montanhas. Eles só tinham comida suficiente para cinco dias. Imagine só, *apenas cinco dias!*

Nesse ponto, a Falsa Tartaruga ficou tão abalada com a tragédia da situação, que simplesmente não pôde continuar.

— Vamos, vamos! — disse o Grifo em tom consolador, enquanto dava tapinhas nas costas da Falsa Tartaruga.

— Imagine o que vai acontecer se eles não forem resgatados! — soluçou ela. Mas, agora vem a parte bonita da história! A parte bonita — continuou a Falsa Tartaruga — é que, no dia seguinte, eles encontraram outro grupo de homens perdidos.

— E o que há de bonito nisso? — perguntou o Grifo.

— Bem — respondeu a Falsa Tartaruga —, o bonito é que os nove homens, generosamente, dividiram suas provisões com os outros homens perdidos. Dividiram a comida em partes iguais, e ela durou mais três dias. Quantos homens havia no segundo grupo?

♛ 34

QUANTA ÁGUA FOI DERRAMADA? — E o que acabou acontecendo com esses homens? — perguntou Alice, meio ansiosa, depois de resolver o enigma.

— Ah, todos acabaram sendo resgatados — respondeu a Falsa Tartaruga.

— Então, o que há de tão triste na história? — perguntou Alice.

— Pense só — disse a Falsa Tartaruga —, *podia* ser que eles não fossem resgatados!

— Oh — disse o Grifo —, quer dizer que, em outras palavras, *podia* ter sido uma história triste, mas de fato não foi!

— É uma história muito triste! — disse a Falsa Tartaruga, recomeçando a soluçar.

— Vamos, conte-nos outra! — disse o Grifo.

— Está bem — respondeu ela. Desta vez, a tripulação de um navio naufragado só tinha água suficiente para durar treze dias, dando a cada homem um quarto de galão por dia. No quinto dia, um pouco d'água foi acidentalmente derramado e, no mesmo dia, um homem morreu. Aí, a água durou exatamente o tempo esperado. Quanta água foi derramada?

♛ 35

QUANDO ELE SAIRÁ DA PRISÃO? — Esse *foi* triste — admitiu Alice, depois de solucionar o enigma —, e foi também muito interessante! Você sabe outro?

— Bem — disse a Falsa Tartaruga —, certa vez, um homem foi mandado para a prisão. Para tornar seu castigo ainda pior, não lhe disseram quanto tempo ele teria que ficar preso.

— Isso foi *muito* injusto! — exclamou Alice, indignada.

— Ora se foi! — disse o Grifo.

— De qualquer modo — continuou a Falsa Tartaruga —, seu carcereiro era um sujeito muito correto e se afeiçoou ao prisioneiro.

"Ora, vamos — implorou o prisioneiro ao carcereiro —, você não pode me dar um *indiciozinho* de quanto tempo terei que ficar neste lugar?"

"Quantos anos você tem?" — perguntou o carcereiro.

"Tenho 25" — respondeu o presidiário.

"E eu, 54", disse o carcereiro. "Diga-me, em que dia você nasceu?"

"Hoje é meu aniversário" — respondeu o prisioneiro.

"Incrível!" — disse o carcereiro. "É o meu também! Bom, se isso puder ajudá-lo de algum modo, eu lhe digo... não que eu deva dizer, sabe como é, mas vou dizer... digo que, no dia em que eu tiver exatamente o dobro da sua idade, nesse dia você sairá."

Por quanto tempo o prisioneiro terá que cumprir pena?

— Foi um belo enigma! — disse Alice, depois de resolvê-lo. Há só uma coisa que eu gostaria de saber: por que o prisioneiro foi mandado para a prisão?

— Ele roubou umas tortas do Rei — respondeu a Falsa Tartaruga.

O Grifo, a essa altura, ficou com uma expressão *extremamente* incomodada, e começou a se coçar furiosamente!

— Ora, vamos, conte-nos outro melhor! — trovejou ele —, e trate de fazer com que seja sobre uma coisa *completamente* diferente!

♛ 36

QUANTO TEMPO PARA SAIR? — Bem, existe a história do sapo que caiu num poço — começou a Falsa Tartaruga.

— Ora, tenha dó! Esse quebra-cabeça é do tempo em que se usavam suíças! — disse o Grifo. Você não conhece nenhum que seja *novo*?

— Eu não ouvi esse — observou Alice.

— Está bem, eu lhe digo o que você vai fazer — disse o Grifo, bocejando. Você conta esse quebra-cabeça aí para a mocinha que ainda não o ouviu e, enquanto isso, eu tiro um cochilo. Só que eu quero que você me acorde quando terminar, ouviu bem?

O Grifo enroscou-se então numa posição perfeita para um cochilo, enquanto a Falsa Tartaruga contava a Alice esse velho quebra-cabeça do sapo.

— Certa manhã, um sapo caiu num poço de trinta pés de profundidade. De dia ele conseguia escalar três pés, mas toda noite caía dois pés. Quantos dias levou o sapo para sair do poço?

♛ 37

ELE PEGOU O TREM? — E então, não foi um enigma triste? — perguntou a Falsa Tartaruga. Aquele pobre sapo, todos aqueles dias no poço, e tendo que fazer uma escalada tão árdua para sair!

— Bah! — disse o Grifo —, o mais triste desse quebra-cabeça é que eu ouvi você o tempo todo e não pude dormir nadinha! Vamos lá, conte-nos outro!

— Bem — disse a Falsa Tartaruga —, um dia, um homem tinha que andar doze milhas de bicicleta até a estação ferroviária para pegar um trem. Ele raciocinou assim: "Tenho uma hora e meia para pegar o trem. Quatro milhas são em aclive, onde terei que andar, e posso percorrer essa distância a quatro milhas por hora; quatro milhas são em declive, onde posso deslizar a doze milhas por hora; e depois, há quatro milhas de estrada plana, que percorrerei a oito milhas por hora. Isso dá uma média de oito milhas por hora, de modo que chegarei bem na horinha." Estava certo o raciocínio dele?

♕ 38

QUE TAL ESTE? — Pobre homem — soluçou a Falsa Tartaruga —, imagine só! Se ele fosse um pouquinho mais inteligente, poderia ter saído mais cedo e apanhado o trem!

— Isso me lembrou um outro — prosseguiu a Falsa Tartaruga. Um trem saiu de uma estação com onze minutos de atraso, e rodou a dez milhas por hora até a estação seguinte, que fica a uma milha e meia de distância, e onde ele para por quatorze minutos e meio. Um homem chegou à estação doze minutos depois do horário previsto para a partida do trem, e andou até a estação seguinte a quatro milhas por hora, na esperança de tomar o trem lá. Ele conseguiu?

♕ 39

A QUE DISTÂNCIA FICA A ESCOLA? A Falsa Tartaruga chorou copiosamente durante todo o tempo em que Alice e o Grifo resolviam o último enigma.

— Ora, mas o que há de tão triste *nisso*? — berrou o Grifo, zangado. O sujeito pegou o trem, não foi?

— Si... sim — admitiu a Falsa Tartaruga —, mas não sabemos o que aconteceu depois! Pelo que sabemos, o trem pode ter sofrido um acidente!

— Ora, realmente! — disse Alice. Desse jeito, você pode transformar qualquer coisa numa história triste!

A Falsa Tartaruga não respondeu a isso, mas tornou a enfiar a cabeça entre as patas.

— Está bem, eis outra história triste — disse, finalmente. Certa manhã, um menino tinha que ir à escola...

— Ah, isso é triste *mesmo*! — admitiu o Grifo.

— Não, não é *essa* a parte triste — disse a Falsa Tartaruga —, a parte triste ainda vai chegar!

Alice e o Grifo ouviram atentamente, esperando a parte triste, mas não conseguiram descobrir qual era.

— Então — continuou a Falsa Tartaruga —, o pai disse ao menino: "É melhor você se apressar, senão chegará atrasado à escola!" O menino respondeu: "Eu sei exatamente o que estou fazendo. Se eu andar à velocidade de quatro milhas por hora, chegarei cinco minutos atrasado, mas, se andar a cinco milhas por hora, chegarei dez minutos adiantado."

— A que distância ficava a escola?

♛ 40

ESSA HISTÓRIA É TRISTE? — Que havia de tão triste nisso? — perguntou Alice.

— É um caminho muito longo para se ter que andar até a escola todas as manhãs! — respondeu a Falsa Tartaruga.

— Qual, provavelmente fez bem a ele! — disse o Grifo. Esse é o problema das crianças de hoje: elas são preguiçosas demais!

— Eis outro enigma triste — disse a Falsa Tartaruga. Certo dia, um marchand americano vendeu dois quadros, por 990 dólares cada um. Num deles, teve um lucro de dez por cento, e no outro, levou um prejuízo de dez por cento. "Isso significa que hoje não ganhei nem perdi", disse ele consigo mesmo.

— Há alguma coisa triste nesse enigma?

C. O quebra-cabeça favorito do Grifo

— Agora, deixem-me contar a *vocês duas* um enigma! — disse o Grifo. É o meu favorito!

— É muito triste? — perguntou a Falsa Tartaruga.

— Não, nem um pouquinho! — respondeu o Grifo. É só inteligente, mais nada!

— Onde você o conseguiu? — perguntou Alice.

— Fui eu mesmo que inventei; é o que eu ia lhes contar antes.

— Que bom! — disse Alice.

♛ 41

QUEM É O MAIS VELHO? — O enigma é sobre a Lebre de Março e o Chapeleiro. Um deles nasceu no ano de 1842, mas não vou lhes dizer qual. O outro nasceu em 1843 ou 1844, mas também não lhes direi qual foi. Além disso, a Lebre de Março nasceu em março, vocês sabiam?

— Não — disse Alice —, mas isso não me surpreende.

— Nem a mim — disse a Falsa Tartaruga.

— Seja como for — continuou o Grifo —, a Lebre de Março tem um relógio que...

— Ah, é — interrompeu Alice, — um relógio muito engraçado, que diz os dias do mês, em vez das horas do dia. Eu o vi.

— Não é *esse* relógio — gritou o Grifo. Ela tem outro relógio, que diz as horas do dia como qualquer relógio comum. O Chapeleiro também tem seu próprio relógio. Nenhum dos dois marca a hora certa; o do Chapeleiro adianta dez segundos por hora, e o da Lebre de Março atrasa dez segundos por hora.

— Num dia de janeiro — prosseguiu —, eles acertaram os relógios, exatamente às doze horas. "Você se dá conta" — perguntou o Chapeleiro, "de que nossos relógios só voltarão a ficar juntos no seu próximo aniversário, no dia em que você fizer vinte e um anos?"

"É isso mesmo" — respondeu a Lebre de Março.

— Quem é o mais velho: a Lebre de Março ou o Chapeleiro?

— Essa me derrubou — disse a Falsa Tartaruga, afastando-se devagar.

— Ora, francamente! — exclamou Alice. Esse enigma tem mesmo uma solução?

— Tem, sim! — respondeu o Grifo.

Qual é a solução?

CAPÍTULO 5

A história do Rei

De todas as aventuras com enigmas e quebra-cabeças no País das Maravilhas, as que se seguem foram as favoritas de Alice. Somente em sua viagem posterior, através do espelho, foi que ela deparou com esses exemplos notáveis de raciocínio lógico.

"O último enigma do Grifo foi realmente bom!", pensou Alice, depois de se despedir dele e da Falsa Tartaruga. "Não entendo por que a Falsa Tartaruga achava seus enigmas tão tristes. Acho que ela estava sendo sentimental demais!"

Alice andou um bom pedaço e, depois de algum tempo, deparou com o Rei de Copas, sentado sozinho num banco, totalmente perdido em pensamentos. Ficou um pouco ali por perto, sem se atrever a dizer nada que o perturbasse. "*Às vezes* os Reis pensam em coisas importantes", refletiu consigo mesma. "Pelo menos, foi isso que me disseram — de modo que jamais caberia *a mim* iniciar a conversa!"

Passado algum tempo, o Rei percebeu a presença de Alice e sorriu.

— Aquilo que você fez nos julgamentos foi um belíssimo trabalho — disse. Você demonstrou grande sagacidade, para uma pessoa tão novinha!

Alice não tinha muita certeza de conhecer a palavra "sagacidade", mas, o que quer que ela *significasse*, de algum modo tinha um *som* agradável e, evidentemente, pretendia ser um cumprimento — pelo menos, a julgar pela expressão e tom de voz do Rei.

— Oh, eu gostei imensamente dos julgamentos — disse Alice —, e por certo quero agradecer-lhe por ter-me permitido fazer parte do júri.

— Agora, aquele Grifo... ele quase saiu impune do episódio das tortas, não foi? — disse o Rei, com um sorriso matreiro.

— Foi, sim — respondeu Alice. Aliás, vi o Grifo há pouco, e estava me perguntando por que...

— Ah, isso! — interrompeu o Rei, que tinha adivinhado a pergunta de Alice. Bem, você sabe, tempos atrás, o Grifo me prestou um serviço muito valioso... um serviço que quase me salvou a vida!

— Espere um minuto — interrompeu Alice. O que o senhor quer dizer com *quase* salvou sua vida? O senhor me parece inteiramente vivo e, felizmente, na mais perfeita saúde!

— Certíssimo — retrucou o Rei. De qualquer modo, por gratidão, resolvi perdoar o Grifo logo depois que o sentenciei.

— Além disso — prosseguiu —, ele não tinha realmente *comido* nenhuma das tortas, entende? Se tivesse, não tenho muita certeza de que eu teria sido tão generoso!

"Ah, enfim isso explica tudo", pensou Alice.

— E agora — continuou o Rei —, por certo você se perguntava em que eu estava pensando quando chegou aqui, não é?

— Bom, para falar a verdade, eu estava meio curiosa.

— É sempre bom dizer a verdade — respondeu o Rei. Bem, a vida inteira eu me interessei pela lógica e pelo direito. E estava pensando nuns casos notáveis que li num livro, ah, já se vão muitos anos! É um livro antiquíssimo... acho que não o vejo desde que era garoto. Perdi-o há muito tempo, mas me lembro dos casos com muita clareza, como se fosse ontem!

— Isso parece interessante! — disse Alice.

— A parte mais interessante era o último capítulo — continuou o Rei. Ele era todo sobre julgamentos de agentes secretos, às vezes conhecidos como *espiões*. O capítulo começava com uns casos muito simples, e terminava com o melhor quebra-cabeça que já ouvi na minha vida!

Alice estava ficando cada vez mais curiosa.

— Posso lhe dar uma descrição literal do capítulo inteiro, se você quiser!

— Puxa, eu certamente *gostaria* de ouvi-lo! — exclamou Alice.

— Pois muito bem — disse o Rei. Todos os casos se passam numa terra muito, muito distante... uma terra muito estranha, habitada exclusivamente por cavaleiros que sempre dizem a verdade e valetes que sempre mentem...

— Ah, eu conheço esses enigmas! — disse Alice.

— Ora, eu declaro — retrucou o Rei, muito zangado —, que você nunca deve dizer que *conhece* os enigmas até saber quais são! Existem inúmeros enigmas sobre mentirosos e pessoas que dizem a verdade, criança, e a probabilidade é uma em um milhão de que você conheça *estes* enigmas!

— Você me faz lembrar — continuou o Rei, ainda vivamente agitado —, aquelas crianças que, quando veem um mágico pegar um baralho, prestes a entretê-las com truques de prestidigitação, dizem: "Eu conheço esse truque!" Ora, são incontáveis os truques que se pode fazer com um baralho de cartas, assim como há inúmeros enigmas que se pode contar sobre cavaleiros que sempre dizem a verdade e valetes que sempre mentem. O livro era antigo e extremamente raro quando eu era pequeno, e duvido que ainda exista algum exemplar dele! Portanto, como eu disse, a probabilidade é de um em um milhão de que você conheça algum desses enigmas.

"Eu me pergunto de onde o Rei tirou essa probabilidade exata", pensou Alice. Mesmo assim, ficou *um pouquinho* envergonhada com sua pressa e resolveu não interrompê-lo de novo, não mais do que o necessário.

♛ 42

ENTRA O PRIMEIRO ESPIÃO. — Pois muito bem — disse o Rei —, como eu ia dizendo, os cavaleiros desse país sempre diziam a verdade, nunca mentiam, e os valetes de lá mentiam sempre, nunca diziam a verdade. Um dia, houve uma grande agitação no país, pois soube-se que havia chegado um espião de uma outra terra.

— Como foi que se soube? — perguntou Alice, esquecendo por completo sua resolução.

— Não faço ideia — respondeu o Rei —, e acontece que isso é *sumamente* irrelevante para o problema!

— O espião mentia ou dizia a verdade? — perguntou Alice.

— Ah, isso foi o que complicou as coisas! — respondeu o Rei. O espião não era cavaleiro nem valete; ora dizia a verdade, ora mentia: fazia sempre o que mais lhe convinha.

— Soube-se que o espião — continuou —, estava morando com outros dois habitantes, e que um deles era um cavaleiro e o outro, um valete. Os policiais detiveram todos três, certo dia, mas não sabiam qual deles era o cavaleiro, qual era o valete e qual era o espião. Vamos chamá-los de A, B e C.

— No interrogatório — disse ainda o Rei —, A afirmou que C era valete e B afirmou que A era cavaleiro. Então, perguntaram a C quem ele era, e ele respondeu: "Eu sou o espião."

Qual deles era o espião, qual era o cavaleiro, e qual era o valete?

♛ 43

O CASO DO ESPIÃO ATRAPALHADO. — Esse não foi muito difícil — disse Alice, depois de resolver o problema.

— Eles ficam mais difíceis depois — respondeu o Rei. O livro era bem escrito, e progredia lentamente do mais fácil para o mais difícil. Os dois enigmas seguintes também são bem fáceis, mas, mesmo assim, dão o que pensar.

— Bem, o espião foi mandado para a cadeia, mas, pouco depois, outro espião chegou ao país. Certo dia, os policiais detiveram um homem, mas não sabiam ao certo se ele era ou não espião. Na verdade, o homem era espião, mas os policiais não sabiam. O espião foi levado a interrogatório e solicitado a prestar depoimento. Então, deu um depoimento falso, mas foi uma grande estupidez, porque isso o levou a ser condenado imediatamente.

Você sabe dizer qual foi esse depoimento?

♛ 44

OUTRO ESPIÃO ATRAPALHADO. — O espião foi mandado para a prisão, é claro — disse o Rei —, mas então, outro espião entrou no país. Os policiais o prenderam, mas não estavam certos de que fosse espião. Dessa vez, o espião fez uma declaração verdadeira, porém, também nesse caso, foi muito tolo ao fazê-la, porque a declaração o condenou.

Você sabe dizer qual foi essa declaração?

♛ 45

O CASO DO ESPIÃO MATREIRO. — O espião seguinte a entrar no país — disse o Rei — era muito mais esperto! Certo dia, foi detido com outros dois, um dos quais era cavaleiro, enquanto o outro era valete. O caso foi levado a julgamento. O tribunal sabia que um era cavaleiro, um era valete e outro era espião (que ora mentia, ora dizia a verdade), mas não sabia quem era quem. Mais uma vez, vamos chamar os três réus de A, B e C.

— Primeiro, A disse: "Eu não sou espião." Então, B disse: "Eu sou espião." Foi quando perguntaram a C: "B é mesmo espião?"

— Ora, acontece que C era o espião. Sendo espião, pode mentir ou dizer a verdade, como quiser. Bem, ele fez a coisa mais matreira possível, e respondeu de maneira a não ser condenado.

O que foi que ele respondeu?

♛ 46

QUEM É MURDOCH? — Um outro espião, chamado Murdoch, entrou no país. Ele é A, B ou C, e um dos três é cavaleiro, e o outro, valete. O espião é o único dos três que se chama Murdoch. Os três prestaram os seguintes depoimentos no tribunal:

A: Meu nome é Murdoch.
B: É verdade.
C: Eu sou o Murdoch.
Quem é o espião?

♛ 47

A VOLTA DE MURDOCH. — Bem — continuou o Rei —, Murdoch foi mandado para a prisão, mas, pouco depois, escapou e fugiu do país. Mais tarde, voltou bem disfarçado, para que ninguém pudesse reconhecê-lo. Tornou a ser detido na companhia de um cavaleiro e um valete, e os três (vamos chamá-los de A, B e C) fizeram as seguintes declarações no tribunal:

A: Meu nome é Murdoch.
B. É verdade.

C. Eu não sou o Murdoch.

Qual deles é Murdoch, dessa vez?

♛ 48

UM CASO MAIS INTERESSANTE. — E agora, chegamos aos casos mais interessantes — disse o Rei.

Alice era toda ouvidos.

— Bem — começou ele —, nesse julgamento, temos novamente três réus: A, B e C. O tribunal sabia que um era cavaleiro, um era valete e outro era espião, mas não sabia quem era o quê. Primeiro, A acusou B de ser o espião; depois, B acusou C de ser o espião; e então, C apontou para um dos outros dois réus e disse: "Ele é o verdadeiro espião!" O juiz então condenou o espião. Quem foi que ele condenou?

— Ora, um momentinho — exclamou Alice —, o senhor não espera que eu solucione isso sem me dizer para quem foi que C apontou, espera?

— Quando li esse caso no livro — respondeu o Rei —, também achei que não havia informações suficientes para resolvê-lo. Mas, quando refleti um pouco mais a fundo, percebi que havia. Sim, *foram* dadas informações suficientes para descobrir a solução.

Qual deles era o espião?

♛ 49

UM CASO AINDA MAIS INTERESSANTE. — E agora, chegamos a um caso ainda mais interessante — disse o Rei. Temos novamente três réus, A, B e C. O tribunal sabia que um era cavaleiro, um era valete e um era espião, mas não sabia quem era o quê. Primeiro, o juiz perguntou a A: "Você é o espião?" A respondeu (sim ou não). Em seguida, o juiz perguntou a B: "A disse a verdade?" B respondeu (de novo, sim ou não).

— A essa altura — prosseguiu o Rei —, A disse: "C não é o espião." O juiz respondeu: "Eu já sabia disso. E sei agora quem é o espião!"

Quem era o espião?

— Ora, espere aí! — gritou Alice. Desta vez, o senhor não me contou nem o que A nem o que B disseram!

— Eu sei — retrucou o Rei. O livro também não nos dizia isso, mas o interessante é que é possível identificar o espião sem que nos digam qualquer dessas coisas.

Alice continuou com ar intrigado.

— Você deve estar percebendo — disse o Rei — que, quando o juiz afirmou que já sabia que C não era o espião, foi puramente com base nas respostas dadas por A e B.

Qual é a solução?

♛ 50

UM CASO IGUALMENTE INTERESSANTE. — Neste caso igualmente interessante — prosseguiu o Rei —, o tribunal sabia, mais uma vez, que entre os três réus, A, B e C, um era cavaleiro, um era valete e um era espião.

— O juiz disse: "Vou fazer uma série de perguntas. Todas as respostas têm que ser sim ou não. Se, em algum momento, eu identificar o espião, eu o condenarei e o caso será encerrado. Se, em algum momento, eu souber sobre um de vocês que, definitivamente, ele não é o espião, eu o absolverei antes de ir adiante."

— Então, o juiz perguntou a A: "Você é o espião?" A respondeu. Em seguida, o juiz perguntou a B: "A disse a verdade?" B respondeu. O juiz pensou um pouco e perguntou a C: "Você é o espião?" C respondeu, e o juiz condenou um deles. Quem era o espião?

— Ora, espere um minuto! — exclamou Alice, agitada. O senhor percebe que não me disse um só coisa sobre o que falou *qualquer* um dos réus?

— É verdade — respondeu o Rei —, mas o problema pode ser resolvido, apesar disso.

Qual é a solução?

♛ 51

O CASO MAIS INTERESSANTE DE TODOS. — E agora, chegamos ao problema mais apreciado — disse o Rei. Um certo Sr. Antônio assistiu a um julgamento de um espião, no qual, a princípio, o tribunal sabia que, entre os três réus, A, B e C, um era cavaleiro, um era valete e um era espião. Primeiro, o juiz perguntou a A: "Você é espião?" A respondeu sim ou não. Depois, perguntou a B: "A disse a verdade?" B respondeu sim ou não, e então o juiz apontou para um dos três réus e disse: "Você não é espião, portanto, pode deixar o tribunal." Satisfeito, o homem se foi. Em seguida, o juiz perguntou a um dos dois réus que restavam se o outro era o espião. O réu respondeu sim ou não, e o juiz ficou sabendo quem era o espião.

— Pois bem — continuou o Rei —, ainda não é possível que *você* saiba quem era o espião; ainda tem mais. Bem, o Sr. Antônio contou esse caso a um amigo que era advogado. O amigo trabalhou no problema por algum tempo e disse: "Não tenho informações suficientes para resolver esse caso. Você pode ao menos me dizer se o juiz recebeu a mesma resposta a todas as três perguntas? O Sr. Antônio lhe disse. Não se sabe se, com isso, o amigo pôde ou não solucionar o problema.

— Então, o Sr. Antônio relatou o mesmo problema a um segundo amigo, que também era advogado. O segundo amigo quis saber se o juiz havia recebido pelo menos duas respostas *não*. O Sr. Antônio lhe disse. Se o segundo amigo pôde ou não resolver o problema, não é informado.

— O que é informado — continuou o Rei — é que, ou os dois amigos resolveram o problema, ou nenhum dos dois o resolveu, mas não nos é dito qual deles.

— E agora — concluiu o Rei —, o *seu* problema é: quem era o espião?

— É possível *mesmo* solucionar isso? — perguntou Alice, admirada.

— Sim — respondeu o Rei —, posso lhe assegurar solenemente que é!

— É *realmente* possível solucionar isso? — exclamou Alice, admirada (não a Alice do País das Maravilhas, mas a Alice da festa em que eu estava contando a história).

— Sim — retruquei —, posso lhe assegurar que é.

— Como é que você não nos assegura *solenemente* que é, como fez o Rei? — perguntou Tony.

— Bem — respondi, dando uma risada —, eu não sou rei, vocês sabem; e além disso, não sou mesmo do tipo solene!

— De qualquer modo — prossegui —, o enigma realmente tem uma solução, embora seja preciso pensar um bocado para descobri-la; é mais sutil do que qualquer outro enigma que eu tenha proposto a vocês até agora. É um quebra-cabeça que vou deixar com vocês e, quando eu voltar à cidade, poderemos discuti-lo mais.

— Você vai embora? — perguntou Tony.

— Minha mulher e eu temos de viajar por umas semanas — respondi —, mas estaremos de volta no fim do verão. Aí, talvez todos possamos reunir-nos de novo, para nos divertirmos um pouco mais.

PARTE II

𝒮 A Lógica do Espelho 𝒮

CAPÍTULO 6

A décima segunda pergunta

O aniversário de Tony caía no fim do verão, e minha mulher e eu voltamos a tempo de ir à festa.

— Que tal mais uns enigmas de Alice no País das Maravilhas? — perguntou Alice.

— Que tal Alice no Espelho? — perguntei.

— Qualquer um está bom para mim! — respondeu Alice.

Todas as crianças eram receptivas a *qualquer* outro enigma de Alice, de modo que lhes contei as seguintes histórias.

— Acho que já é mais do que hora de a menina fazer outra prova, não lhe parece? — perguntou a Rainha Vermelha à Rainha Branca.

— Certamente! — respondeu a Rainha Branca.

Alice não conseguia entender *por que* devia fazer outra prova, e não *gostava* particularmente da ideia, mas não deu nenhuma resposta.

— Você sabe contar? — perguntou a Rainha Vermelha.

— Ora, é claro! — respondeu Alice.

— Pois muito bem, vamos ver se sabe mesmo contar. Está pronta?

— Estou pronta — disse Alice.

— Uma diligência ia de Londres para Harwich e partiu com seis passageiros. Você acha que consegue lembrar-se disso?

— É claro que consigo me lembrar disso — respondeu Alice. Não há muito que lembrar!

— Muito bem — retrucou a Rainha. A carruagem fez uma parada e dois passageiros desceram, e entraram quatro. Entendeu?

— Sim — respondeu Alice, que estava fazendo as contas.

— Então, a diligência seguiu em frente, fez outra parada, e três passageiros desceram. Está me acompanhando?

— Sim — disse Alice, que ainda fazia criteriosamente as contas.

— Então, a diligência seguiu em frente, fez outra parada, e dois passageiros desceram, e dois passageiros entraram.

— É a mesma coisa que se a carruagem não tivesse feito parada nenhuma! — exclamou Alice.

— Gostaria que você não continuasse me interrompendo! — exclamou a Rainha Vermelha. Isso só faz me irritar!

— Eu não *continuei* interrompendo a senhora — respondeu Alice (que é muito lógica). Só a interrompi uma vez, e a pessoa tem que interromper alguém pelo menos duas vezes para que se possa dizer que ele *continua* a interrompê-la.

— É verdade — replicou a Rainha —, mas sou *eu* que estou aplicando esta prova, menina, não *você!*

— Mas, enfim — prosseguiu a Rainha —, a diligência foi em frente, fez outra parada, e três pessoas desceram e cinco entraram. Ainda está fazendo as contas?

— Estou, sim — respondeu Alice.

— Então, a diligência chegou a Harwich e todos os passageiros desceram. Quantas vezes ela parou?

— Mas eu não estava contando *isso!* — exclamou Alice.

— Está vendo? Ela não sabe contar! — exclamou a Rainha Vermelha, triunfante.

— Nem um pouquinho! — concordou a Rainha Branca.

— Você jamais conseguirá ser aprovada num exame se não souber contar! — disse a Rainha Vermelha.

— Mas, eu *sei* contar — defendeu-se a pobre Alice. Eu apenas contei a coisa errada!

— Isso não é desculpa — retrucou a Rainha Vermelha. Você sempre deve contar tudo, porque tudo conta.

Alice tentou decifrar esse enigma, e a Rainha Vermelha continuou: — Agora, aqui estão as regras da prova. Vamos fazer-lhe doze perguntas, e você poderá dar no máximo três respostas erradas, para ser aprovada.

E assim começou a prova.

♛ 52

A PRIMEIRA PERGUNTA. — Você sabe dividir? — perguntou a Rainha Vermelha.

— Sei, é claro! — respondeu Alice.

— Pois muito bem, suponhamos que você divida onze milhares, onze centenas e onze por três. Que resto você obtém? Pode usar este lápis e papel, se quiser.

Alice pôs-se a trabalhar e fez a conta.

— Obtenho o resto dois — respondeu Alice.

— Errado! — exclamou a Rainha Vermelha, triunfante. Está vendo? Ela não sabe dividir!

— Nadinha de nada! — concordou a Rainha Branca.

Por que você não experimenta resolver este quebra-cabeça com lápis e papel, para ver se Alice estava certa? Depois, é melhor ler a solução!

♛ 53

OUTRA DIVISÃO. — Vamos tentar outra divisão — disse a Rainha Vermelha. Quanto é um milhão dividido por um quarto?

— Ora, um quarto de milhão, é claro! — respondeu Alice. Em outras palavras, duzentos e cinquenta mil.

— Oh, não! — percebeu Alice, subitamente. Eu quis dizer...

— Tarde demais para mudar de ideia! — disse a Rainha Vermelha. Alice acertou ou errou esse problema?

♛ 54

QUANTO? — Ela não sabe mesmo dividir, nem um pouquinho! — repetiu a Rainha Vermelha. Posso testá-la na adição e na subtração?

— Certamente! — respondeu a Rainha Branca.

— Está bem — disse a Rainha Vermelha. Uma garrafa de vinho custa trinta xelins. O vinho custa vinte e seis xelins a mais do que a garrafa. Quantos xelins vale a garrafa?

Alice acertou esse. E você, será que consegue?

♛ 55

ACORDADA OU DORMINDO. — Aqui está uma pergunta lógica — disse a Rainha Branca. Toda vez que o Rei Vermelho está dormindo, tudo em que ele acredita está errado. Em outras palavras, tudo em que o Rei Vermelho acredita durante o sono é falso. Por outro lado, tudo em que ele acredita quando está acordado é verdadeiro. Pois bem, ontem à noite, às dez horas em ponto, o Rei Vermelho achou que ele e a Rainha Vermelha estavam dormindo. A Rainha Vermelha estava acordada ou dormindo nessa hora?

Alice refletiu sobre isso e, a princípio, achou que a situação era impossível. De repente, no entanto, percebeu que não era e conseguiu descobrir a resposta.

Qual é a resposta?

♛ 56

ACORDADO OU DORMINDO? — Eu sou como o Rei Vermelho — disse a Rainha Vermelha. Também só acredito em coisas falsas quando estou dormindo, e só acredito em coisas verdadeiras quando estou acordada. Ora, anteontem, às onze horas da noite, o Rei Vermelho acreditou que eu estava dormindo. Ao mesmo tempo, acreditei que ele estava dormindo, ou acreditei que estava acordado. Em qual dessas coisas acreditei?

Alice teve que pensar um bocado para acertar essa, mas acabou conseguindo. Qual é a solução?

♛ 57

QUANTOS CHOCALHOS? — Este último enigma deixou minha cabeça doendo — disse a Rainha Branca. Vamos voltar aos quebra-cabeças aritméticos. Então, você conhece Tweedledum e Tweedledee?

— Oh, conheço, sim! — respondeu Alice.

— Muito bem. Certa vez, Tweedledum e Tweedledee fizeram uma aposta.

— A que se referia a aposta? — perguntou Alice.

— Era sobre o Corvo monstruoso. Tweedledum achava que ele voltaria no dia seguinte, e Tweedledee achava que não. Assim, resolveram fazer uma aposta.

— E quanto eles apostaram? — perguntou Alice.

— Bem — respondeu a Rainha —, você sabia que os dois colecionam chocalhos?

— Sei que Tweedledum tinha um chocalho — respondeu Alice —, um que ele dizia que o Tweedledee havia estragado, mas não sabia que Tweedledee também tinha um chocalho.

— Os dois tinham chocalhos — respondeu a Rainha. Na verdade, cada um tinha vários chocalhos. A aposta foi um chocalho.

— Que engraçado! — riu-se Alice. Quantos chocalhos tinha cada um?

— Ah, isso é o que você tem que descobrir! — respondeu a Rainha. Esse é o seu problema. Pois bem, Tweedledum percebeu que, se perdesse a aposta, ficaria com o mesmo número de chocalhos que

Tweedledee, mas, se ganhasse, teria o dobro dos chocalhos de Tweedledee. A pergunta é: quantos chocalhos tinha cada um?

Bem, normalmente, esse problema é resolvido com o uso da
álgebra, mas Alice não sabia álgebra. Felizmente, porém, ela se lembrou
das lições que havia aprendido com o Grifo, de modo que pôde chegar
à resposta. Qual é a resposta?

♛ 58

QUANTOS IRMÃOS E IRMÃS? — Aqui está mais um — disse a Rainha
Vermelha. Uma menina chamada Alice tinha um irmão chamado
Tony...

— Eu não tenho nenhum irmão chamado Tony — interrompeu
Alice.

— Eu não estava falando de *você* — retrucou a Rainha Vermelha,
em tom áspero. Estava falando de outra Alice!

— Oh! — respondeu Alice.

— E gostaria que você não ficasse interrompendo! — continuou
a Rainha. Enfim, Alice e Tony tinham outros irmãos e irmãs.

— Espere um instante — interrompeu Alice (não a Alice do
Espelho, mas a Alice da festa). Tony e eu não temos outros irmãos nem
irmãs!

— A Rainha Vermelha não estava falando de *vocês* — respondi
—, mas de uma outra Alice!

— Oh! — respondeu Alice.

— Bem — prosseguiu a Rainha Vermelha —, Tony tem tantos
irmãos quanto irmãs. Alice tem o dobro de irmãos que de irmãs.
Quantos meninos e meninas existem na família?

Esse, Alice resolveu.

♛ 59

QUANTOS ESTAVAM ERRADOS? — Veja esta — disse a Rainha Branca
—, que, aliás, é uma história verdadeira. Certa vez, eu tinha que colocar quatro cartas no correio. Bem, as quatro cartas estavam escritas
e os quatro envelopes estavam corretamente endereçados, mas, por
descuido, coloquei umas cartas nos envelopes errados. Entretanto, só

pus uma carta em cada envelope. Acontece que, ou acertei exatamente três, ou acertei exatamente dois, ou errei exatamente um deles. Quantos eu pus no lugar certo?

Alice acertou essa.

♛ 60

QUANTAS TERRAS? — Vamos ver se você sabe aritmética prática — disse a Rainha Vermelha. Um pequeno fazendeiro não tinha dinheiro para pagar seus impostos. Como resultado, o arrecadador de impostos do Rei tirou um décimo das terras dele. Depois de tomadas essas terras, o fazendeiro ficou com dez acres. Quantas terras tinha ele, originalmente?

Alice quase deu a resposta errada, mas se conteve bem na horinha, pensou um pouco mais e acertou. Qual é a resposta?

♛ 61

OUTRO PROBLEMA DE ACRES. — Eis mais um — disse a Rainha Vermelha. Um outro fazendeiro tinha terras para plantar. Em um terço delas, cultivava abóboras, em um quarto, cultivava ervilhas, em um quinto, cultivava vagens e, nos vinte e seis acres restantes, cultivava milho. Quantos acres tinha ele, ao todo?

Alice acertou esse. Você consegue? (Não há necessidade de álgebra!)

 62

O CARRILHÃO BATE DOZE HORAS. — Se um carrilhão leva trinta segundos para bater seis horas, quanto tempo leva para bater doze?

— Ora, sessenta segundos, é claro! — exclamou Alice. Oh, não! — percebeu, de repente. Está errado! Espere um minutinho, eu lhe darei a resposta certa!

— Tarde demais, tarde demais! — exclamou a Rainha Vermelha, triunfante. Uma vez que tenha dito uma coisa, você nunca pode se desdizer!

Qual é a resposta certa?

63

A DÉCIMA SEGUNDA PERGUNTA. — Bem, bem, agora — disse a Rainha Vermelha —, você já fez três erradas, e só temos mais uma pergunta. Seu sucesso ou fracasso dependem inteiramente de responder acertada ou erradamente à próxima pergunta. Você compreende isso?

— É, isso eu estou percebendo — disse Alice, meio nervosa.

— E ficar nervosa não vai adiantar nada! — acrescentou a Rainha.

— Também percebo isso — respondeu Alice, ainda mais nervosa.

— Bem, menina, aqui está a pergunta; lembre-se, *tudo* depende de sua resposta estar certa ou errada!

— Sim, eu sei, eu sei! — gritou Alice.

— Bem, a pergunta é esta: você será aprovada neste exame?

— Como eu haveria de saber? — respondeu Alice, surpresa com seu próprio atrevimento.

— Ora, ora, menina, isso não é resposta! — disse a Rainha Vermelha. Você tem que me dar uma resposta clara, sim ou não. Se responder corretamente, será aprovada; se não, será reprovada. É simples assim!

A pergunta não parecia assim *tão* simples para Alice! Na verdade, quanto mais ela pensava, mais intrigante se tornava a pergunta. Então, de repente ela percebeu uma coisa muito interessante! Se respondesse de um modo, a Rainha Vermelha teria a opção de aprová-la ou reprová-la, como bem entendesse. Se respondesse de outro, seria impossível a Rainha aprová-la *ou* reprová-la sem contradizer suas próprias regras! Bem, como Alice estava mais interessada em *não* ser reprovada do que em passar, optou pela segunda alternativa, e respondeu de um jeito que confundiu totalmente a Rainha.

Que resposta deu Alice?

CAPÍTULO 7

Tweedledum ou Tweedledee?

A aventura seguinte de Alice foi muito mais agradável. "Detesto essas provas", disse ela consigo mesma, logo depois de deixar a companhia das Rainhas. "Elas me lembram muito da escola!"

Nesse exato momento, Alice praticamente tropeçou em Tweedledum e Tweedledee, que estavam rindo embaixo de uma árvore, perto de sua casa. Alice olhou cuidadosamente para seus colarinhos, para ver qual deles tinha a marca "Dum" e qual trazia a marca "Dee", mas nenhum dos colarinhos era bordado.

— Receio não saber distinguir vocês muito bem, sem seus colarinhos bordados — observou.

— Você terá que usar a *lógica* — disse um dos irmãos, dando um abraço afetuoso no outro. Estávamos esperando que passasse por estas bandas e lhe preparamos uns belos joguinhos lógicos. Você quer jogar?

— Como são os jogos? — perguntou Alice.

— Bem, existem dois jogos. O primeiro se chama Qual de Nós É Tweedledee e Qual É Tweedledum? O segundo chama-se Qual de Nós É Tweedledum e Qual É Tweedledee? Que jogo você prefere jogar primeiro?

— Eles soam horrivelmente parecidos! — respondeu Alice. Isso é terrivelmente confuso!

— Ah, eles podem *soar* parecidos — respondeu ele —, mas isso não quer dizer que *sejam* similares, de jeito nenhum!

— Ao contrário — disse o outro —, se eles fossem parecidos, não seriam, mas, se não fossem parecidos, poderiam ser. Portanto, eles não são similares. Isso é lógico!

Alice levou um certo tempo para decifrar esse enigma.

— Se os nomes a confundem — disse o primeiro irmão —, os dois jogos têm nomes alternativos. O primeiro também é chamado de Vermelho e Preto; e o segundo, de Laranja e Roxo.

— Quais são as regras dos jogos? — perguntou Alice.

— Bem, cada jogo tem seis rodadas — ele respondeu. Vamos primeiro jogar o primeiro jogo: o jogo Vermelho e Preto.

Nesse ponto, tirou do bolso uma carta de baralho — era a Rainha de Ouros — e a mostrou a Alice.

— Como você vê, esta é uma carta vermelha. Ora, uma carta vermelha significa que quem a carrega diz a verdade, enquanto a carta preta significa que o falante mente. Bem, o meu irmão aqui [apontou para o outro] também está carregando uma carta vermelha ou preta no bolso. Ele está prestes a fazer uma afirmação. Se sua carta for vermelha, fará uma afirmação verdadeira, mas, se a carta for preta, ele fará uma afirmação falsa. Então, sua tarefa é descobrir se ele é Tweedledee ou Tweedledum.

— Ah, isso parece divertido! — disse Alice. Eu gostaria de jogar!

— Depois que tiver descoberto quem *ele* é, sua segunda tarefa será descobrir quem *eu* sou, você sabe!

— Ora, essa parte é uma perfeita bobagem! — respondeu Alice, soltando uma gargalhada. Obviamente, se ele for Tweedledee, você terá que ser Tweedledum, e se ele for Tweedledum, você terá que ser Tweedledee. Até um néscio seria capaz de descobrir *isso*!

— Está muito bem — respondeu ele. — Então, vamos jogar!

Jogo I — Vermelho e Preto

♛ 64

PRIMEIRA RODADA. Nesse momento, o outro irmão disse: — Eu sou Tweedledum e estou carregando uma carta preta.

Alice teve pouca dificuldade para descobrir quem ele era. Quem era ele?

— Parabéns! — disseram os dois irmãos ao mesmo tempo, cada qual apertando uma das mãos de Alice. Você ganhou a primeira rodada!

— Agora, quanto às próximas quatro rodadas — disse o primeiro irmão —, antes de cada uma, nós vamos sumir lá dentro de casa, onde temos um baralho. Fazemos uma conferência particular, depois um de nós põe uma carta no bolso, sai e faz uma afirmação. Aí, você terá que descobrir quem ele é.

— Ele estará carregando uma carta da mesma cor da última rodada? — perguntou Alice.

— Não necessariamente — foi a resposta. Cada vez que entrarmos em casa, o jogo começará de novo, e teremos liberdade de trocar nossas cartas ou não.

— Compreendo — disse Alice.

♛ 65

SEGUNDA RODADA. Os irmãos entraram em casa e, pouco depois, um deles saiu com uma carta no bolso e disse: — Se eu sou Tweedledum, não estou carregando uma carta vermelha.

Alice achou isso consideravelmente mais difícil do que o primeiro quebra-cabeça, mas acabou conseguindo resolvê-lo. Qual é a solução?

♛ 66

TERCEIRA RODADA. Nessa rodada, um irmão saiu e disse: — Ou eu sou Tweedledum, ou estou carregando uma carta preta. Quem era ele?

♛ 67

QUARTA RODADA. Nessa rodada, um irmão saiu e disse: — Ou eu sou Tweedledum, carregando uma carta preta, ou sou Tweedledee, carregando uma carta vermelha.

Quem era ele?

♛ 68

QUINTA RODADA. Desta vez, o irmão que saiu disse: — Agora, Tweedledum está carregando uma carta preta.

Quem era ele?

— Ótimo! — disse ele a Alice. Você resolveu esse muito bem! Agora, a última rodada deste jogo é mais complicada: eu entro na casa, e meu irmão e eu fazemos uma conferência, e depois *nós dois* saímos, cada um com uma carta vermelha ou preta no bolso. Nossas cartas podem ser da mesma cor ou de cores diferentes. Em seguida, *nós dois* fazemos afirmações. Você terá que levar em conta as duas afirmações para descobrir quem somos.

— Isso parece mais difícil! — disse Alice.

— Umas duas vezes mais difícil — respondeu Tweedledee.

♛ 69

SEXTA RODADA. Bem, Tweedledee entrou em casa e os dois irmãos saíram, logo depois.

"Parecem mais iguais do que nunca!", pensou Alice.

Bem, um deles — vamos chamá-lo de primeiro — ficou à esquerda de Alice, e o outro — vamos chamá-lo de segundo — ficou à sua direita. Então, fizeram as seguintes afirmações.

PRIMEIRO: Meu irmão é Tweedledee e está carregando uma carta preta.

SEGUNDO: Meu irmão é Tweedledum e está carregando uma carta vermelha.

Qual deles é qual?

Jogo II: Laranja e Roxo

— Parabéns! — exclamaram os dois irmãos. Você acertou todas as rodadas!

— Agora, o próximo jogo — disse Tweedledum — é muito mais interessante! Também tem seis rodadas. Antes de cada rodada, vamos entrar em casa, onde temos outro baralho. Essas cartas são de cor laranja e roxa, em vez do preto e vermelho habituais.

— Onde vocês arranjaram cartas assim? — perguntou Alice.

— Fomos nós mesmos que as fizemos — ele respondeu. E as fizemos especialmente para esta ocasião.

Alice achou muito tocante que eles se dessem a tanto trabalho por causa de uma única ocasião.

— Além disso, são cartas muito bonitas, e foi divertido fazê-las — acrescentou ele.

— Bem — prosseguiu —, um de nós, ou ambos, sairá de casa, e ele ou nós faremos afirmações. Então, você terá que descobrir quem é quem.

— Só um minuto — disse Alice —, vocês não me disseram o significado das cores laranja e roxo. Uma delas significa mentir e a outra, dizer a verdade? Se é assim, qual das cores significa o quê?

— Ah, essa é a parte mais interessante do jogo! — respondeu Tweedledum. Veja, quando *eu* carrego uma carta laranja, isso quer dizer que estou dizendo a verdade, e, quando carrego uma carta roxa, significa que estou mentindo!

— Ao contrário — disse Tweedledee —, quando *eu* carrego uma carta laranja, isso significa que estou mentindo, e, quando carrego uma carta roxa, significa que estou dizendo a verdade!

— Ah, isso parece *muito* complicado! — comentou Alice.

— Não realmente — retrucou Tweedledum —, não depois que você se acostuma. Vamos tentar?

— Va... vamos — disse Alice, meio em dúvida.

♛ 70

PRIMEIRA RODADA. Os dois irmãos entraram na casa. Logo depois, apenas um deles saiu e disse: — Minha carta é roxa.

Alice teve menos dificuldade do que previra para resolver isso. Quem estava falando?

♛ 71

SEGUNDA RODADA. Na rodada seguinte, os dois irmãos saíram e fizeram as seguintes afirmações:

PRIMEIRO: Eu sou Tweedledum.

SEGUNDO: Eu sou Tweedledum.

PRIMEIRO: A carta do meu irmão é laranja.

Qual deles era Tweedledum?

♛ 72

TERCEIRA RODADA. Nessa rodada, os irmãos fizeram as seguintes afirmações:

PRIMEIRO: Eu sou Tweedledee.

SEGUNDO: Eu sou Tweedledum.

PRIMEIRO: Nossas cartas são da mesma cor.

Quem é quem?

♛ 73

QUARTA RODADA. Alice achou essa rodada particularmente interessante.

PRIMEIRO: Nossas cartas são ambas roxas.

SEGUNDO: Não é verdade!

Quem é quem?

♛ 74

QUINTA RODADA. Desta vez, os irmãos fizeram as seguintes afirmações:

PRIMEIRO: Pelo menos uma de nossas cartas é roxa.

SEGUNDO: É verdade.

PRIMEIRO: Eu sou Tweedledum.

Quem é quem?

♛ 75

SEXTA RODADA. — Bem, nesta rodada — disse um dos irmãos —, as regras são as mesmas, mas a pergunta que você terá que responder é diferente. Em vez de nos dizer qual de nós é Tweedledee e qual é

Tweedledum, você deverá descobrir qual de nós está mentindo e qual está dizendo a verdade.

Os dois irmãos entraram em casa e, quando saíram, fizeram as seguintes afirmações:

PRIMEIRO: Nossas cartas são da mesma cor.

SEGUNDO: Nossas cartas não são da mesma cor.

Qual deles estava dizendo a verdade?

Jogo III: Dois Ultraespeciais

Ambos os irmãos cumprimentaram Alice, calorosamente, por ter acertado todas as rodadas.

— Antes que se vá — disse Tweedledee, com um sorriso —, temos dois ultraespeciais para você! Vamos jogar dois jogos extras, cada qual com uma rodada, só que, agora, os jogos serão na linguagem dos sinais. Não vamos usar cartas coloridas desta vez. O que faremos é o seguinte: ambos entraremos em casa e um de nós sairá primeiro. O segundo sairá logo depois, carregando um cartaz com uma pergunta, a qual tanto o primeiro irmão quanto você poderão ler claramente. Depois, o primeiro irmão responderá à pergunta em linguagem cifrada: desenhará um quadrado ou um círculo no ar. Uma dessas duas figuras significa sim, e a outra significa não, mas nós não lhe diremos qual figura significa o quê. Entretanto, a figura que *significa* sim já estará desenhada no *verso* do cartaz, mas você só poderá vê-la depois que tiver adivinhado qual de nós é Tweedledee e qual é Tweedledum. O primeiro irmão (o que responde à pergunta) já terá visto o verso do cartaz, é claro, de modo que ele saberá qual dos quadrados e círculos significa sim, e qual significa não. Mas pode ser que ele minta, ao dar a resposta em linguagem cifrada.

— Não tenho certeza de estar entendendo isso — disse Alice.

— Bem, se, por exemplo, o círculo significar sim e a resposta correta à pergunta for sim, aí, se ele disser a verdade, desenhará um círculo no ar; se mentir, desenhará um quadrado no ar.

— Ah, entendi! — disse Alice.

— Ótimo! Então, vamos jogar o primeiro jogo. Uma última coisa: meu irmão e eu já combinamos que, se Tweedledee responder à pergunta, ele mentirá, e se Tweedledum responder, ele dirá a verdade.

♛ 76

QUEM É QUEM? Em seguida, os dois irmãos entraram em casa. Quase imediatamente, um deles saiu e ficou em silêncio. Logo depois, o outro saiu carregando um cartaz, em cuja frente estava escrito:

A figura no verso deste cartaz é um quadrado?

O outro irmão respondeu desenhando um círculo no ar. Qual deles era Tweedledum?

♛ 77

QUE PERGUNTA ALICE DEVE FAZER? — Parabéns, você acertou de novo! — gritaram os dois irmãos.

— Agora vem o melhor jogo de todos, e, se você acertar, também ganhará um prêmio! — disse Tweedledee.

— Desta vez — continuou —, *não* combinamos qual de nós mentirá e qual dirá a verdade. O que faremos é o seguinte: entramos em casa, e cada um sai, carregando no bolso uma carta vermelha ou preta. Também nesse caso, vermelho significa dizer a verdade e preto significa mentir. Bem, só um de nós estará com o prêmio no outro bolso. Se você conseguir adivinhar qual de nós está com o prêmio, você o ganhará. Agora, não é importante saber qual de nós é

Tweedledee e qual é Tweedledum; sua tarefa é descobrir quem está com o prêmio. Bem, quando sairmos de casa, você apontará para um de nós e lhe fará uma pergunta: uma pergunta que possa ser respondida por sim ou não. Mas, em vez de responder sim ou não, ele também responderá em linguagem cifrada: desenhará um quadrado ou um círculo no ar. Agora, o importante é o seguinte: se ele estiver carregando o prêmio, com um quadrado quererá dizer sim, e com um círculo quererá dizer não. Por outro lado, se não for o que está com o prêmio, ele quererá dizer não com um quadrado e sim com um círculo. Além disso, ele pode dizer a verdade ou mentir; o que determina isso é ele estar carregando uma carta vermelha ou preta.

— Mas, que pergunta eu hei de fazer a ele? — indagou Alice.

— Ah, isso é *você* quem tem que descobrir! — respondeu ele, triunfalmente. Essa é a parte mais difícil do jogo e, se conseguir adivinhar a pergunta certa, você certamente *merecerá* um prêmio.

— Bem — disse Alice —, receio que eu não consiga fazer isso sem lápis e papel, e esqueci de trazer o meu caderno de notas nesta viagem através do Espelho.

Tweedledee entrou rapidamente em casa e voltou com um lápis e um bloco de papel.

— Vamos ficar dentro de casa enquanto você imagina sua pergunta, e, quando estiver pronta, chame-nos que nós sairemos. Leve o tempo que quiser.

Em seguida, os irmãos entraram em casa e Alice trabalhou com muito afinco no problema. Depois de algum tempo, gritou: — Estou pronta!

Os irmãos saíram, Alice fez a pergunta a um deles, e ele respondeu desenhando um quadrado ou um círculo no ar. Alice apontou para um dos irmãos e disse: — É você que está carregando o prêmio — e estava certa.

Como pôde Alice, com uma só pergunta, descobrir qual dos dois estava com o prêmio?

— Parabéns outra vez! — disseram os dois irmãos. Você certamente mereceu seu prêmio!

Ela então recebeu o prêmio, todo bem embrulhado e amarrado. E, quanto mais tentava desamarrá-lo, mais ele ficava apertado!

— Você se esqueceu de que está no Espelho? — perguntou um dos irmãos.

— Ora, é claro! — lembrou-se Alice, que então tentou *embrulhá-lo* e apertar mais o barbante. Funcionou como um passe de mágica: o pacote abriu-se sozinho, quase imediatamente.

O prêmio consistia em um lápis e um lindo caderno de notas, novinho em folha.

CAPÍTULO 8

Esse é o lado bonito da coisa!

"Foi realmente divertido!", disse Alice consigo mesma, logo depois de se despedir dos irmãos Tweedle. "É muito melhor do que fazer aquelas aborrecidas provas antiquadas! E eu *adorei* este caderno de notas — é justamente do que eu estava precisando!"

Nesse momento, sentou-se numa pedra e passou um bom tempo anotando as várias aventuras de que queria lembrar-se — em especial os jogos lógicos que havia acabado de jogar com Tweedledum e Tweedledee. Encheu as primeiras nove páginas do caderno.

"E agora", pensou Alice com seus botões, levantando-se, "eu me pergunto se encontrarei o Cavaleiro Branco. Adoraria vê-lo — tenho muitas coisas para lhe contar!"

Pouco depois, Alice topou com Humpty Dumpty, sentado no mesmíssimo lugar do mesmo muro. Ao vê-la, ele abriu um sorriso de uma orelha à outra.

— Bom trabalho, bom trabalho! — disse.

— Que é que foi um bom trabalho? — perguntou Alice.

— Ora essa, a maneira como você tapeou aquelas Rainhas, com aquela décima segunda pergunta! Bem feito para elas! Bem feito, por elas lhe aplicarem aquela prova idiota!

— Ah, você está sabendo disso? — perguntou Alice.

— Agora, se fosse *eu* a lhe aplicar uma prova... — começou Humpty Dumpty.

— Oh, você não precisa! — apressou-se Alice a dizer.

— Se eu fosse lhe aplicar uma prova — repetiu Humpty Dumpty —, o que você acha que eu faria?

— Com certeza eu não faço a mínima ideia! — retrucou Alice, meio aflita.

— Ora, menina, se eu fosse lhe aplicar uma prova... não que eu fosse, você sabe..., mas, *se* eu fosse lhe aplicar uma prova, só lhe faria perguntas que não têm resposta; elas são as melhores, você sabe!

— Que sentido tem uma pergunta sem resposta? — perguntou Alice.

— Ah, esse é o tipo que faz a gente *pensar!* — ele respondeu.

— Pensar *em quê?* — perguntou Alice.

— Em qual seria a resposta — retrucou ele.

— Mas, achei que você tinha dito que não havia resposta.

— Não há — respondeu Humpty Dumpty —, e esse é o lado bonito da coisa!

Alice tentou decifrar esse enigma. Não lhe pareceu fazer muito sentido.

— Pode me dar um exemplo de uma pergunta dessas? — perguntou Alice.

— Ah, agora você está falando como uma menina sensata! — respondeu Humpty Dumpty. É claro que posso lhe dar um exemplo. Aliás, posso pensar de imediato em dois exemplos. Qual deles você gostaria que eu lhe desse primeiro?

— Como é que eu vou saber? — perguntou Alice. Já que não faço ideia dos exemplos em que você está pensando, como poderia dizer-lhe qual deles me dar?

— Certo de novo — respondeu Humpty Dumpty. Isso é o que eu chamo de ser uma criança lógica! Bom, então, aqui está um exemplo perfeito do tipo de pergunta em que estou pensando. A pergunta é esta: Não é a resposta correta a esta pergunta?

— Que pergunta? — indagou Alice.

— A que eu acabei de fazer, ora essa! — respondeu Humpty Dumpty.

Alice pensou nisso por um momento. — Não — respondeu —, é claro que não!

— Ah, peguei você! — exclamou Humpty Dumpty, orgulhoso.

— Como assim? — indagou Alice.

— Escute, menina, você respondeu não, não foi?

— É claro que respondi! — retrucou Alice.

— E deu a resposta certa? — perguntou Humpty Dumpty.

— Certamente — respondeu Alice. Por que não?

— Ah, foi aí que eu a peguei! — disse ele. Já que você respondeu não e deu a resposta certa, então Não *é* a resposta correta à pergunta!

— É o que eu estou dizendo! — disse Alice.

— Bem, se Não é a resposta certa, então, quando eu lhe perguntei se era, você deveria ter dito sim, e não não!

Alice pensou um pouco e, de repente, entendeu. — É claro! — disse. Você está absolutamente certo! Eu deveria ter dito sim, em vez de não!

— Ah, peguei você de novo! — respondeu Humpty Dumpty, triunfante.

— O quê?! — disse Alice, admirada.

— É claro que peguei, menina! Sim não pode ser a resposta certa!

— Por que não? — perguntou Alice, mais intrigada do que nunca.

— Responder que sim é afirmar que Não é a resposta certa, mas, se Não é a resposta certa, é *essa* que você deve dar, em vez da resposta incorreta, Sim!

— Oh! — disse Alice, mais atordoada do que nunca. Então, acho que eu estava certa da primeira vez; eu deveria ter respondido não, afinal.

— Não, *não deveria*! — disse Humpty Dumpty em tom incisivo. Já lhe provei isso!

— Desisto! — exclamou Alice, cansada. Qual é a resposta certa?

— Ora, *não existe* resposta certa — retrucou ele, em tom de completo triunfo —, e esse é o lado bonito da coisa!

— Onde foi que você arranjou essa pergunta desconcertante? — perguntou Alice.

— Fui eu mesmo que inventei! — respondeu Humpty Dumpty, orgulhosamente. E não estava com a razão?

— Razão sobre o quê? — perguntou Alice.

— A pergunta não a fez *pensar*?

— Certamente fez! — respondeu Alice. Quase me deu dor de cabeça! Essa pergunta é um exemplo do que se chama paradoxo?

— Justamente, menina, e um belo exemplo, aliás! Fui eu mesmo que inventei.

— Sei disso — observou Alice. Você já o repetiu duas vezes.

— Não, não — disse Humpty Dumpty. Eu o *disse* duas vezes, mas *repeti* uma vez só.

— Em todo caso — continuou —, os paradoxos costumam ter a forma de afirmações, em vez de perguntas. O meu é inédito por ter a forma de uma pergunta, em vez de uma afirmação. É baseado na ideia que está por trás da famosa afirmação que afirma sua própria falsidade.

— Que afirmação é essa? — perguntou Alice.

— É a seguinte célebre afirmação... olhe, deixe-me escrevê-la para você.

Alice entregou-lhe seu lápis e o caderno de notas. Humpty Dumpty deu uma espiada nas primeiras nove páginas.

— Isto é um material interessante — disse —, mas você se esqueceu de numerar as páginas. Sempre deve numerar as páginas, sabe? Caso contrário, como poderá dizer que página vem depois de qual?

— Mas as páginas não estão *soltas* — respondeu Alice. Estão encadernadas. Logo, é óbvio que página vem depois de qual!

— Você sempre deve numerar suas páginas — repetiu Humpty Dumpty. Pronto, vou numerá-las para você.

Numerou então as nove primeiras páginas, e depois a décima e a décima primeira, que ainda estavam em branco. Em seguida, escreveu o seguinte na décima página, e devolveu o caderno a Alice:

— 10 —

A FRASE DA PÁGINA
10 É FALSA.

— E então — disse Humpty Dumpty —, a afirmação da página dez do seu caderno é verdadeira ou falsa?

— Não vejo como dizer — respondeu Alice, depois de refletir um pouco. Pode ser qualquer das duas.

— Errado! — exclamou Humpty Dumpty. Não é que *possa* ser qualquer das duas, é que *não pode* ser nenhuma delas!

— Por que não? — perguntou Alice.

— Escute, menina: essa frase pode ser verdadeira?

— Por que não? — perguntou Alice.

— Bem, suponha que ela seja verdadeira. Nesse caso, o que ela diz deve acontecer. Mas o que ela *diz* é que ela é falsa. Portanto, deve confirmar-se que ela é falsa. Logo, se ela é verdadeira, também é falsa. Mas é impossível que ela seja verdadeira e falsa; portanto, é impossível que seja verdadeira.

— É claro — disse Alice —, e, já que ela não pode ser verdadeira, deve ser falsa.

— Errado de novo! — disse Humpty Dumpty, triunfante. Ela também não pode ser falsa!

— Por que não? — perguntou Alice.

— Bem, suponha que ela *seja* falsa. Então, o que ela diz *não* acontece. Ora, o que ela diz é que é falsa. Como o que ela diz *não* acontece, então não se confirma que ela é falsa; em outras palavras, ela é verdadeira. Portanto, se ela é falsa, é verdadeira, e temos novamente uma contradição. Logo, ela não pode ser falsa. Eis a glória para você!

— Ai, ai, ai — disse Alice, desconsolada. Pareço estar nos mesmos apuros que no seu primeiro enigma!

— Exatamente! — respondeu Humpty Dumpty —, e esse é o lado bonito da coisa!

— Na verdade — disse Alice —, já ouvi uma coisa parecida com esse paradoxo antes. É a história de Epimênides de Creta, que dizia: Todos os cretenses são mentirosos. Se Epimênides estiver dizendo a verdade, estará mentindo, e se estiver mentindo, estará dizendo a verdade. E aí temos um paradoxo.

— Não é verdade! — disse Humpty Dumpty, em tom decidido. Isso é uma falácia popular! É uma daquelas coisas que *parece* um paradoxo, mas, a rigor, não é.

— Quer fazer o favor de explicar? — pediu Alice.

— Em primeiro lugar, o que você quer dizer com mentiroso? É alguém que mente o tempo todo, ou que mente uma parte do tempo?

— Eu nunca havia pensado nisso antes — admitiu Alice. Acho que quem mente mesmo parte do tempo deve ser chamado de mentiroso.

— Então, *certamente* não há nenhum paradoxo — retrucou Humpty Dumpty. A afirmação de Epimênides poderia ser verdadeira, o que significaria, nesse caso, apenas que os cretenses *às vezes* mentem. Assim, sendo cretense, Epimênides também mente às vezes, mas isso não significa que a afirmação específica em questão seja mentira. Logo, não há nenhum paradoxo.

— Entendo — disse Alice. Então, imagino que seria melhor eu definir mentiroso como alguém que *sempre* mente. Aí ficamos com um paradoxo?

— Não, nem mesmo assim — respondeu Humpty Dumpty. Desta vez, sabemos que a afirmação de Epimênides não pode ser verdadeira, porque, se fosse, todos os cretenses sempre mentiriam, e Epimênides, sendo cretense, sempre mentiria, donde teria mentido ao fazer essa afirmação. Logo, se a afirmação fosse verdadeira, também teria que ser falsa, o que é uma contradição.

— Então, é um paradoxo! — disse Alice.

— Não! Não! — replicou Humpty Dumpty. Só há contradição quando se presume que a afirmação seja verdadeira; quando a afirmação é falsa, não há contradição!

— Quer ter a bondade de explicar isso? — pediu Alice.

— Bem, o que significa que determinada afirmação é falsa? Significa que não é fato que todos os cretenses são mentirosos; em outras palavras, que pelo menos um cretense diz a verdade, às vezes. Portanto, tudo o que emerge do fato de Epimênides ter feito essa afirmação é que ele está mentindo, e que pelo menos um cretense às vezes diz a verdade. Isso não é um paradoxo!

— Que interessante! — disse Alice.

— A propósito — acrescentou Humpty Dumpty —, se fizermos duas suposições adicionais, a de que Epimênides é *o único* cretense e a de que sua afirmação é a única afirmação que ele fez na vida, aí teremos um paradoxo! Nesse caso, seria como a afirmação que escrevi em seu caderno, que afirma sua própria falsidade.

— Pensando bem — acrescentou Humpty Dumpty —, eu gostaria de tentar uma outra experiência. Posso pegar seu caderno de notas outra vez?

Alice entregou-lhe o caderno com um lápis. Humpty Dumpty escreveu alguma coisa, devolveu-lhe o caderno e disse: — Olhe a página onze. A afirmação que está lá é verdadeira ou falsa?

Alice foi para a página 11, e foi isso que encontrou:

— 11 —

A FRASE DA PÁGINA
11 É FALSA.

Alice refletiu por algum tempo. — Não vejo como saber — respondeu. Parece-me que ela pode ser qualquer coisa. Se fosse verdadeira, não haveria contradição, e se fosse falsa, também não haveria contradição.

— Desta vez, você está absolutamente certa! — disse Humpty Dumpty. Ora, isso é o que eu chamo de ser camaleônica!

— O que *foi* que você quis dizer com isso? — perguntou Alice, estupefata.

— Só quero dizer que ora você está errada, ora está certa: exatamente como um camaleão, que ora é de uma cor, ora é de outra.

Isso pareceu a Alice um uso estranhíssimo da palavra camaleônica; mas, afinal (como Alice se lembrou), Humpty Dumpty às vezes tinha um jeito muito especial de usar as palavras!

— Agora, eu gostaria de experimentar uma outra coisa — disse Humpty Dumpty. Empreste-me seu caderno outra vez.

Humpty Dumpty pegou-o e, nas páginas 10 e 11, apagou os números 10 e 11 das duas frases e, no lugar deles, reescreveu 11 e 10, de modo que as páginas ficaram assim:

— E agora — disse Humpty Dumpty —, a frase da página onze é verdadeira ou falsa?

Alice pensou um pouco e, súbito, percebeu a solução.

— 10 — A FRASE DA PÁGINA 11 É FALSA.	— 11 — A FRASE DA PÁGINA 10 É FALSA.

— Não pode ser nenhuma das duas — disse. — É outro paradoxo!

— Certíssimo! — disse Humpty Dumpty. Mas, como você poderia prová-lo?

— Bem — disse Alice —, a frase da página 11 está, a rigor, afirmando sua própria falsidade, só que de maneira indireta: ela afirma a frase da página 10, que afirma a falsidade da frase da página 11. Logo, se a frase da página 11 é verdadeira, ela também deve ser falsa, e se é falsa, deve também ser verdadeira. Portanto, temos um paradoxo.

— Agora você está aprendendo para valer! — exclamou Humpty Dumpty, em tom satisfeito.

— Na verdade, há um paradoxo que *nunca* consegui entender! — disse Alice. Quem sabe você pode me ajudar?

— É claro, eu teria muito prazer — disse Humpty Dumpty, orgulhosamente. Sei resolver qualquer enigma já inventado, e mais uma porção que não foi inventada. Qual é o seu problema?

— É o do barbeiro — respondeu Alice. Um certo barbeiro, que mora numa cidadezinha, barbeia todos os habitantes que não se barbeiam, e nunca barbeia nenhum habitante que se barbeie. O barbeiro se barbeia ou não?

— Ah, esse é velho e muito fácil! — riu Humpty Dumpty.

— Não vejo nenhuma solução possível! — disse Alice. Pensei nisso uma porção de vezes e não chego a lugar nenhum! Se o barbeiro se barbeia, ele está violando sua regra, ao barbear alguém que se barbeia. Se ele não se barbeia, é um daqueles que não se barbeiam, e, já que barbeia todas essas pessoas, então, ele deve se barbear. Portanto, quer ele se barbeie, quer não, estamos diante de uma contradição! Ora, você não pode sair dessa dizendo: "Não é verdadeiro nem falso que ele se barbeie", porque *tem* que ser verdadeiro ou falso que ele se barbeia!

— Que *quem* se barbeia? — perguntou Humpty Dumpty.

— Ora essa, o barbeiro, é claro!

— Que barbeiro? — perguntou Humpty Dumpty.

— Obviamente, o barbeiro da história! — respondeu Alice, meio impaciente.

— Ah, é mesmo? — disse Humpty Dumpty. — E quem foi que disse que a história é verdadeira?

Alice pensou nisso por um momento.

— Ora, vamos — disse ela —, está *dito* que o barbeiro é como o descrevem; ao abordar um quebra-cabeça, não se pode negar o que é dito!

— Não se pode? — respondeu Humpty Dumpty —, nem mesmo quando o chamado dito é contraditório?

Essa era uma ideia nova para Alice.

— A verdade — continuou Humpty Dumpty — é que *não existe* esse barbeiro, nunca houve nenhum barbeiro assim, e nunca *haverá* um barbeiro assim. Esse barbeiro simplesmente *não poderia* existir, porque, se existisse, você teria uma contradição.

Alice não ficou muito convencida.

— Escute aqui — disse Humpty Dumpty, meio irritado —, suponha que eu lhe dissesse que existia um homem que tinha um metro e oitenta de altura, e que ele não tinha um metro e oitenta de altura; que diria você?

— Obviamente, que esse homem não existia — respondeu Alice.

— Perfeito! E suponha que eu lhe dissesse que havia um barbeiro que não se barbeava nem deixava de se barbear, que é que você diria?

— Que esse barbeiro não existia — respondeu Alice.

— Pois bem, esse é exatamente o barbeiro dessa história! Um barbeiro assim não poderia barbear-se nem deixar de se barbear. *Ergo*, não existe esse barbeiro. Eis aí a lógica para você!

Alice ficou completamente convencida.

— Há um problema correlato que esclarecerá ainda melhor esse problema — continuou Humpty Dumpty. Numa certa cidade, existem *dois* barbeiros; vamos chamá-los de Barbeiro A e Barbeiro B. É dito que o Barbeiro A barbeia todos os habitantes que não se barbeiam, mas *não* é dito que ele não barbeia outros habitantes também. Quanto

ao Barbeiro B, ele nunca barbeia nenhum habitante que se barbeie, mas não necessariamente barbeia *todos* os habitantes que não se barbeiam. Ora, é perfeitamente possível que os Barbeiros A e B existam; não há contradição em presumir que eles existam.

— Então, qual é o problema? — perguntou Alice.

— O problema tem duas partes: o Barbeiro A se barbeia ou não? E o Barbeiro B, ele se barbeia ou não?

Alice refletiu um pouquinho. — O Barbeiro A se barbeia e o Barbeiro B, não — respondeu ela, muito orgulhosa.

— Bom! Muito bom! — exclamou Humpty Dumpty. Agora, pode me dizer por quê?

— Porque — respondeu Alice, muito confiante — se o Barbeiro A não se barbeasse, ele seria um daqueles que não se barbeiam, mas, uma vez que ele barbeia todas essas pessoas, teria que se barbear. Isso é uma contradição. Portanto, ele se barbeia. Quanto ao Barbeiro B, se ele se barbeasse, estaria barbeando alguém que se barbeia, o que ele nunca faz. Logo, o Barbeiro B não pode se barbear.

— Agora você está aprendendo! — disse Humpty Dumpty. É mesmo sorte sua você ter um professor tão bom!

Alice não soube direito o que dizer diante disso; as sessões de lógica de Humpty Dumpty eram muito instrutivas, certamente. Ainda assim, a seu ver, ele parecia tender *um pouquinho* a se vangloriar!

— Você disse que isso dá um novo esclarecimento ao antigo enigma do barbeiro — disse Alice. Qual é a relação entre os dois enigmas?

— Ah, fico contente por você ter perguntado — respondeu ele. Bem, você sabe, poderia haver um barbeiro como o Barbeiro A, e esse barbeiro deveria barbear-se. Também poderia existir um barbeiro como o Barbeiro B, só que esse não poderia barbear-se. Entretanto, o Barbeiro A e o Barbeiro B não podem ser a mesma pessoa! Ora, no problema original, deram-lhe *uma* pessoa que tinha as características do Barbeiro A e do Barbeiro B, e *isso* é impossível!

— Ah, entendo! — disse Alice. Isso é interessante!

— Tenho um outro enigma para você — disse Humpty Dumpty —, e esse tem uma resposta clara. Conhece aquele do Clube de Copas?

— Não — respondeu Alice —, nunca ouvi falar.

— Bom — retrucou Humpty Dumpty, essa você acertou!

— Acertei *o quê?* — perguntou Alice.

— A pergunta que eu lhe fiz! Perguntei se você conhecia o quebra-cabeça sobre o Clube de Copas, e você disse que nunca tinha ouvido falar dele, e tinha razão!

— Bem, sim — disse Alice —, é claro que eu tinha razão, mas, como é que você podia saber?

— Porque eu mesmo inventei o enigma, e nunca o contei a ninguém até hoje, de modo que você *devia* ter razão!

— Ah! — disse Alice. Mas, como é o enigma do Clube de Copas?

— Bem — respondeu ele —, numa certa comunidade, os moradores criaram vários clubes. Um clube, em particular, é chamado Clube de Copas. São-nos fornecidos os seguintes fatos:

— Número um: Considerando qualquer senhora da comunidade, se ela não é sócia de todos os clubes, é membro do Clube de Copas.

— Número dois: Nenhum homem pode ser sócio do Clube de Copas, a menos que haja pelo menos um outro clube do qual não seja sócio.

— Número três: Dado qualquer clube, todo homem fora desse clube ama todas as mulheres do Clube de Copas.

— Bem — prosseguiu Humpty Dumpty —, Lilian é uma dama da comunidade, mas não é dito se ela é ou não é sócia do Clube de Copas. Ricardo é um homem da comunidade, e também não é indicado se ele é ou não sócio do Clube de Copas. É possível determinar se Ricardo ama Lilian?

— Não vejo como! — respondeu Alice.

— Ah, isso é porque você não pensa! — respondeu Humpty Dumpty. Sim, menina — prosseguiu —, isso pode ser determinado. Na verdade... bem, talvez você não acredite no que vou lhe dizer! O que eu vou lhe dizer... oh, sim, é bem possível que você fique surpresa! O que vou lhe dizer é que, numa cidade como essa, *todos* os homens amam *todas* as mulheres!

Alice pensou no assunto. — Ainda não percebo por quê — disse, finalmente.

— Ora, menina, deduz-se da primeira premissa que todas as senhoras da cidade devem pertencer ao Clube de Copas. Por quê? Porque, considere qualquer senhora: ou ela não pertence a todos os clubes, ou pertence a todos os clubes. Se for o primeiro caso, ela deve, de acordo com a primeira premissa, pertencer ao Clube de Copas. Se for o segundo, é claro que ela pertence ao Clube de Copas, já que o Clube de Copas é um de todos os clubes. Logo, seja qual for o caso, ela pertence ao Clube de Copas. Isso prova que todas as senhoras da cidade pertencem ao Clube de Copas.

— Entendo — disse Alice.

— Bem — continuou Humpty Dumpty —, decorre da segunda premissa que nenhum homem da cidade pertence a todos os clubes. Por quê? Porque, se um homem pertencesse a todos os clubes, ele pertenceria ao Clube de Copas em particular, mas nenhum homem pertencente a todos os clubes pode ser sócio do Clube de Copas. Logo, nenhum homem pertence a todos os clubes.

— Compreendo — disse Alice.

— Isso significa — prosseguiu ele — que todo homem está fora de pelo menos um clube, mas qualquer homem fora de qualquer clube ama todas as mulheres do Clube de Copas. Portanto, todos os homens da cidade amam todas as mulheres do Clube de Copas; mas, como todas as mulheres são sócias do Clube de Copas, todos os homens da cidade amam todas as mulheres da cidade.

— Esse foi interessante! — disse Alice. — Fale-me de outro!

— Bem — disse Humpty Dumpty —, você acreditaria se eu lhe dissesse que tenho um bebê?

— Por que não? — disse Alice.

— E também acreditaria se eu lhe dissesse que todo o mundo gosta do meu bebê?

— Por que não? — disse Alice.

— E acreditaria ainda se eu lhe dissesse que meu bebê só gosta de mim?

— Não vejo por que não — respondeu Alice.

— Ah! — disse Humpty Dumpty —, se você acreditasse em *todas* essas coisas, seria incoerente!

— Por quê? — perguntou Alice.

— Ou, pelo menos, seria levada a uma conclusão muito absurda: você não acha que eu sou o meu próprio bebê, acha?

— É claro que não! — respondeu Alice.

— Mas *teria* que achar, se acreditasse em todas essas outras coisas!

— Por quê? — perguntou Alice, que estava muito intrigada.

— É uma simples questão de lógica, nada mais. Olhe, suponha que aquelas outras coisas sejam verdade. Já que todo o mundo gosta do meu bebê, meu bebê também gosta do meu bebê.

— Ora, eu não tinha pensado nisso! — disse Alice.

— É claro que não, mas *deveria*, sabe? Sempre se deve pensar em tudo.

— Eu não posso pensar em *tudo*! — respondeu Alice.

— Eu nunca disse que você *poderia* — respondeu Humpty Dumpty —, disse apenas que *deveria*.

— Mas será sensato dizer que eu devo fazer uma coisa que não posso fazer? — perguntou Alice.

— Esse é um problema interessante de filosofia moral — replicou Humpty —, mas ele nos levaria longe demais. Voltando ao nosso problema, já que meu bebê gosta de si e também *só* gosta de mim, deduz-se que sou meu próprio bebê! Portanto, nem tudo o que eu lhe disse pode ser verdade.

— Essa foi muito engraçada! — disse Alice.

— De fato — respondeu Humpty Dumpty —; e agora, eu gostaria de lhe propor um enigma muito especial. Fui eu mesmo que o inventei, mas não tenho certeza de saber a resposta dele! Parece-me um paradoxo, mas não tenho absoluta certeza de que seja.

Alice estava muito curiosa a respeito do tipo de enigma que conseguiria confundir o próprio Humpty Dumpty!

— Bom, é assim — começou ele. Você conhece enigmas sobre cavaleiros que sempre dizem a verdade e valetes que sempre mentem?

— Ah, muitos mesmo! — respondeu Alice.

— Nesse caso, suponha que você esteja num lugar inteiramente habitado por cavaleiros que sempre dizem a verdade e valetes que sempre mentem. Você conhece um habitante sobre quem não sabe coisa alguma: tudo o que sabe é que ou ele é cavaleiro, ou é valete, mas você não tem ideia de qual. Ele faz uma única afirmação: *Você não sabe nem jamais saberá se sou um cavaleiro.* O que você concluiria disso?

— Bom, vejamos — disse Alice. Vamos supor que ele seja um valete. Nesse caso, sua afirmação é falsa, o que significa que eu sei ou ficarei sabendo que ele é um cavaleiro. Mas, se *sei* que ele é um cavaleiro, ele deve ser mesmo (porque tudo que é sabido deve ser verdade). Logo, se ele é um valete, deve ser um cavaleiro, o que é uma contradição. Portanto, ele não pode ser valete; deve ser cavaleiro.

— Então, você sabe que ele é um cavaleiro — disse Humpty Dumpty.

— Sim — disse Alice —, mas isso cria mais problemas! Como sei que ele é um cavaleiro, sua afirmação de que eu não sei nem jamais saberei se ele é um cavaleiro... essa afirmação deve ser falsa, o que faz dele um valete! Então, aí temos um paradoxo.

— É o que parece — disse Humpty Dumpty —, no entanto...

— Acho que a única solução é que as condições dadas são impossíveis — interrompeu Alice. Nenhum habitante de um país de cavaleiros e valetes jamais poderia fazer essa afirmação.

— É o que parece — respondeu Humpty Dumpty —, no entanto...

Nesse momento, Humpty Dumpty fez uma pausa e perdeu-se por completo em seus pensamentos.

— No entanto, *o quê?* — perguntou Alice.

— No entanto, menina, na verdade eu não sei... creio que um cavaleiro *poderia* fazer essa afirmação... ao menos para *você*, poderia sim.

— Por que *para mim*? — perguntou Alice.

— Pelo modo como você reagiu! — respondeu Humpty Dumpty. Suponha que você realmente fosse a esse país e encontrasse um habitante que *de fato* fizesse essa afirmação. Que é que você depreenderia disso?

— Já lhe disse — respondeu Alice —, eu ficaria em dúvida se as condições dadas eram válidas. Em outras palavras, ficaria em dúvida se os cavaleiros sempre diziam a verdade e os valetes sempre mentiam.

— Nesse caso, você não teria ideia se o falante era um cavaleiro ou um valete?

— É claro que não — respondeu Alice —, como poderia?

— Então, o sujeito disse a verdade, afinal, de modo que poderia ser um cavaleiro, e talvez as condições dadas *realmente* fossem válidas!

— Ai, ai, ai — disse Alice —, parece que tudo o que eu digo está errado!

— Exatamente! — respondeu Humpty Dumpty, em tom triunfal. E esse é o lado bonito da coisa!

CAPÍTULO 9

O Cavaleiro Branco
não se lembrava direito

"Humpty Dumpty é mesmo um dos sujeitos mais confusos que já conheci!", pensou Alice, algum tempo depois de deixá-lo sentado no muro, absorto em pensamentos. "E, ao mesmo tempo", continuou consigo mesma, "é admiravelmente lógico! Eu me pergunto como é que ele consegue ser confuso *e* lógico!"

Nesse exato momento, Alice avistou ao longe, à distância, seu velho amigo, o Cavaleiro Branco, cavalgando lentamente em sua direção. De todas as enigmáticas aventuras de Alice Através do Espelho, as que virão a seguir são as que lhe ficaram mais vívidas na lembrança. Anos depois, ela ainda contava aos amigos esses quebra-cabeças fascinantes e inusitados.

O Cavaleiro Branco viu Alice de longe, acenou-lhe e caiu imediatamente do cavalo.

— Ai, ai, ai! — pensou Alice. Lá vai ele de novo! Talvez devesse mesmo ter um cavalo de madeira com rodinhas, afinal!

Bem, o Cavaleiro não se machucara nem um pouco (tendo caído de cabeça dentro de seu elmo em formato de pão-de-açúcar); tornou a montar e, depois de mais uns cinco ou seis tombos, finalmente chegou ao lugar onde estava Alice. Ficou encantado ao vê-la e saber de todas as suas últimas aventuras. Mostrou-se particularmente interessado nos julgamentos do País das Maravilhas a propósito das tortas roubadas.

— Em matéria de julgamentos — disse o Cavaleiro Branco —, estive em alguns dos mais belos do mundo!

— Oh, por favor, fale-me deles! — pediu Alice, que se interessava muito por esses assuntos.

— Oh, sim — disse o Cavaleiro Branco —, foram belíssimos, belíssimos!

— Mas, o senhor *vai* me falar deles? — perguntou Alice.

— Belíssimos julgamentos — repetiu o Cavaleiro. Aliás, justamente na semana passada... ou talvez tenha sido na semana anterior... compareci a um julgamento.

— E sobre o que foi o julgamento? — perguntou Alice.

— Bem, não me lembro exatamente sobre *o que* foi o julgamento, mas lembro-me que foi sobre isto ou aquilo.

— É o que eu imaginaria — respondeu Alice, que mal conseguiu conter o riso. Não se costumam fazer julgamentos sobre coisa nenhuma!

— Certíssimo, certíssimo — respondeu o Cavaleiro. O julgamento foi *decididamente* sobre alguma coisa; o único problema é que não me lembro direito o que era essa alguma coisa! Parece-me que essa ou aquela pessoa tinha feito algo que não deveria fazer, de modo que houve um julgamento.

Seguiu-se uma longa pausa.

— O senhor se lembra de mais alguma coisa? — perguntou Alice.

— Lembro-me de que havia três réus e de que só um deles era culpado.

— Ah, que bom — respondeu Alice. Quem eram os réus?

— Quem eram os réus? — repetiu o Cavaleiro Branco. Quem eram? Não me lembro exatamente *quem* eles eram, mas decididamente me lembro de que eles eram três.

— Bem, que aconteceu no julgamento? — perguntou Alice.

— Que aconteceu? — repetiu o Cavaleiro. Ora, os réus prestaram depoimentos!

— Que depoimentos eles deram? — perguntou Alice, que estava ficando um *pouquinho* impaciente com a lentidão considerável da história.

— Que depoimentos? — repetiu o Cavaleiro. Que depoimentos? Não me lembro exatamente *quais* foram os depoimentos, mas lembro-me bem de que eles prestaram depoimentos.

— Ora, francamente! — disse Alice, que estava ficando exasperada. O senhor não se lembra de *coisa alguma* sobre os depoimentos?

— Oh, sim — respondeu o Cavaleiro Branco —, lembro-me de *alguma coisa* sobre eles. O primeiro réu acusou o segundo réu ou o terceiro réu, mas não me lembro direito qual deles.

— E o segundo réu? — perguntou Alice.

— Bem, perguntaram ao segundo réu quem era o culpado e, para surpresa de todos, ele declarou que era o culpado.

— E o terceiro réu? — perguntou Alice.

— Bem, perguntaram ao terceiro réu quem era o culpado, e ou ele acusou a si mesmo, ou acusou o segundo réu, mas, infelizmente, não me lembro direito qual deles.

Alice tentou decifrar todo esse enigma, mas não conseguiu descobrir nem pé nem cabeça no que havia acontecido.

— Diga-me — pediu —, os dois réus inocentes sabiam quem era o culpado?

— Oh, sim — respondeu o Cavaleiro —, todos os réus sabiam quem era o culpado.

— Então, imagino que algum réu tenha mentido, e talvez algum tenha dito a verdade. É isso?

— Isso mesmo — respondeu o Cavaleiro. Alguns mentiram e alguns disseram a verdade.

— O senhor se lembra quais deles mentiram e quais disseram a verdade? — perguntou Alice.

— Bem — respondeu o Cavaleiro Branco —, lembro-me de que o culpado mentiu. Quanto aos inocentes, lembro-me que tanto um como o outro disse a verdade, ou talvez o outro tenha dito, ou talvez ambos, mas não me lembro qual.

Isso encerrou o relato do Cavaleiro Branco. "De todas as histórias de julgamento que já escutei na vida", pensou Alice, "essa é a mais insatisfatória!" No entanto, à medida que ponderava mais e mais sobre o problema, Alice percebeu que, apesar de todos os lapsos de memória do Cavaleiro Branco, ele lhe dera informações suficientes para decidir se o primeiro, o segundo ou o terceiro dos réus era o culpado.

Qual deles era o culpado? (Este é o problema 78.)

♛ 79

SEGUNDO RELATO. — É, eu assisti a alguns belos julgamentos, alguns julgamentos belíssimos! — disse o Cavaleiro, depois de Alice resolver o enigma anterior.

— Fale-me de outro — pediu Alice.

O enigma que vem a seguir foi um dos melhores que Alice já tinha ouvido.

— Bem — disse o Cavaleiro —, o julgamento do mês passado foi muito interessante. Também havia três réus, e somente um deles era culpado. O primeiro réu foi o primeiro a falar, depois falou o segundo, e o terceiro foi o último a falar.

— Mas, que foi que eles *disseram*? — perguntou Alice.

— Não me lembro direito do que eles *disseram* — respondeu o Cavaleiro —, mas lembro-me bem de que cada um dos réus acusou um dos outros. Entretanto, não consigo lembrar quem acusou quem. E então, você consegue descobrir quem era o culpado?

— É claro que não! — respondeu Alice. Até agora, o senhor não me disse praticamente nada! Pode ao menos dizer-me quais deles mentiram e quais disseram a verdade?

— É muito interessante você ter perguntado isso — respondeu o Cavaleiro —, porque, duas semanas atrás, contei esse caso ao Rei Branco, que não tinha podido comparecer ao julgamento. O Rei Branco me fez essa mesmíssima pergunta e, quando eu lhe disse quais dos três haviam mentido e quais tinham dito a verdade, ele pôde deduzir quem era o culpado.

— Ah, ótimo! — disse Alice. Quais deles mentiram e quais disseram a verdade?

— Infelizmente, agora eu já me esqueci! respondeu o Cavaleiro.

— Então, acho que não há esperança de eu resolver o mistério — disse Alice, entristecida.

— É extraordinário que você tenha dito isso! — retrucou o Cavaleiro. Porque a mesma coisa me aconteceu na semana passada. Encontrei o Humpty Dumpty e lhe contei esse caso. Disse-lhe também que havia falado do caso com o Rei Branco uma semana antes, e que o Rei Branco conseguira resolvê-lo, depois de eu lhe dizer quem havia mentido e quem tinha dito a verdade. Então, Humpty Dumpty me perguntou quem tinha mentido e quem dissera a verdade, mas, àquela altura, eu já me havia esquecido, de modo que não pude responder à pergunta dele. E aí, o Humpty Dumpty também disse: "Então, acho que não há esperança de que eu o resolva."

— Quer dizer que o Humpty Dumpty não o resolveu — disse Alice.

— Oh, sim, resolveu, porque ele me fez uma outra pergunta e, quando lhe respondi, ele conseguiu resolvê-lo.

— Qual foi essa pergunta? — indagou Alice, ansiosa.

— Infelizmente, agora eu me esqueci — respondeu o Cavaleiro Branco.

— É muito difícil obter informações de você — disse Alice. Não se lembra de *nada* sobre a pergunta?

— Sim — respondeu o Cavaleiro. Lembro-me que Humpty Dumpty me perguntou se tinha havido duas afirmações consecutivas que fossem verdadeiras, ou se tinha havido duas afirmações consecutivas que fossem falsas, mas não consigo me lembrar qual das duas perguntas ele fez, ou que resposta eu dei.

Qual dos três réus era culpado?

♛ 80

O JULGAMENTO SEGUINTE. — Lembro-me de um outro julgamento curioso — disse o Cavaleiro Branco. Envolvia três réus. Cada um dos três acusou um dos outros dois. O primeiro réu foi o único que disse a verdade. Se cada um deles houvesse acusado alguém diferente, mas não a si mesmo, o segundo réu teria sido o único a dizer a verdade.

Qual dos três réus era culpado?

♛ 81

O JULGAMENTO SEGUINTE. — Outro julgamento de que eu soube — disse o Cavaleiro Branco —, foi um a que não estive presente. Quem me contou essa história foi o Jaguadarte.

— Como explicou o Jaguadarte — prosseguiu o Cavaleiro —, também havia três réus. Cada qual acusou um dos outros, mas o Jaguadarte não me disse quem acusou quem. Ele me contou, no entanto, que o primeiro réu disse a verdade.

— E o segundo réu? — perguntou Alice.

— O Jaguadarte nunca me disse se o segundo réu contou a verdade ou mentiu.

— E o terceiro? — perguntou Alice.

— O Jaguadarte me contou que o terceiro réu havia mentido ou dito a verdade, mas, infelizmente, agora não me lembro o que foi que ele disse. Tudo de que me lembro é que, quando o Jaguadarte me contou isso, pude determinar qual dos três réus era culpado, mas agora esqueci qual era.

Qual dos três réus era culpado?

♛ 82

OUTRO CASO. — Lembro de me haverem falado de um julgamento muito parecido — continuou o Cavaleiro. Mais uma vez, havia três réus; cada qual acusou um dos outros, e o primeiro disse a verdade. Também nesse caso, o Jaguadarte não me contou se o segundo mentiu ou disse a verdade, mas me falou que o terceiro mentiu ou disse a verdade. Essa informação não foi suficiente para permitir que eu deduzisse quem era o culpado. Aí o Jaguadarte me disse a quem o terceiro réu havia acusado, e então pude determinar quem era o culpado. Mas não me lembro mais se o terceiro mentiu ou disse a verdade, nem me lembro a quem foi que ele acusou.

Quem era o culpado, dessa vez?

♛ 83

OUTRO CASO. — Houve um julgamento em que eu estive presente e ao qual o Jaguadarte faltou — disse o Cavaleiro Branco. Também havia três réus, e somente um deles era culpado. Perguntaram ao primeiro réu se ele era culpado, e ele respondeu sim ou não, mas não consigo me lembrar qual das duas coisas. Depois, perguntaram ao segundo réu se era culpado, e ele respondeu sim ou não, também não consigo me lembrar. Então, perguntaram ao terceiro réu se o primeiro era inocente ou culpado, e ele disse que o primeiro réu era inocente, ou disse que o primeiro réu era culpado, mas já não me lembro direito. Você tem alguma ideia de quem era o culpado?

— É claro que não! — respondeu Alice.

— Imaginei que não — disse o Cavaleiro. Entretanto, lembro-me também de mais uma coisa: não lembro direito qual deles disse a verdade e qual deles mentiu, mas lembro-me de que pelo menos um disse a verdade e pelo menos um mentiu. E agora, você consegue descobrir quem era o culpado?

— Certamente não! — respondeu Alice.

— Imaginei que não — disse o Cavaleiro Branco —, mas, se isso lhe serve de ajuda, deixe-me dizer-lhe que, na semana passada, encontrei o Jaguadarte, que me perguntou sobre o julgamento. Na ocasião, eu ainda me lembrava do que cada réu tinha dito, e contei ao Jaguadarte o que cada um deles dissera. Eu também disse ao Jaguadarte que pelo menos uma das três afirmações tinha sido verdadeira e pelo menos uma tinha sido falsa. Aí o Jaguadarte conseguiu descobrir quem era o culpado.

Nesse ponto, Alice — e você também — já dispunha de informações suficientes para resolver o caso.

Quem era o culpado?

♛ 84

OUTRO CASO. — Lembro-me de um outro julgamento a que estive presente — começou o Cavaleiro Branco. Mais uma vez, havia três réus e somente um deles era culpado. Lembro-me de que o primeiro réu acusou o segundo, mas não há meio de eu me lembrar o que disseram o segundo ou o terceiro réus. Também recordo que, na semana passada, contei esse caso à Rainha Vermelha, e lhe contei um outro fato do qual agora não me lembro direito. Ou eu lhe disse que o culpado foi o único que mentiu, ou lhe disse que o culpado foi o único que contou a verdade, mas não me lembro qual dessas duas coisas. Lembro-me bem, no entanto, de que a Rainha Vermelha conseguiu resolver o caso.

Quem era o culpado?

♛ 85

E ESTE CASO? — Houve um julgamento sobre o qual me lembro de muitas coisas — disse o Cavaleiro Branco. Lembro-me de que havia também três réus e de que só um deles era culpado. Lembro-me claramente de que o primeiro réu acusou o segundo e de que o segundo réu acusou a si mesmo. Depois, o terceiro réu acusou a si mesmo ou acusou o primeiro, mas não lembro qual dessas duas coisas.

— Contei esse problema ao Humpty Dumpty algum tempo atrás — continuou o Cavaleiro Branco —, e Humpty Dumpty me perguntou quantas das três declarações tinham sido verdadeiras. Agora não recordo o que eu lhe disse, mas, depois que eu lhe disse, o Humpty Dumpty conseguiu resolver o caso.

Quem era o culpado?

♛ 86

QUAL FOI O DESTINO DO BODE? — É, eu assisti a uns belos julgamentos, belíssimos, belíssimos! — continuou o Cavaleiro Branco. Lembro-me de um que foi curioso, e me lembro até de quem eram os réus!

— Isso é reconfortante! — disse Alice.

— Oh, sim, foi um belíssimo julgamento! Os três réus eram o Bode, o Besouro e o Mosquito.

— Tenho uma boa lembrança deles — disse Alice, recordando suas aventuras com os Insetos do Espelho.

— O Bode era o principal suspeito — continuou o Cavaleiro. Primeiro, o Bode acusou um dos insetos: ou acusou o Besouro, ou acusou o Mosquito, mas não me lembro direito qual deles. Aí, o Besouro acusou o Mosquito ou acusou o Bode, mas não me lembro qual. Depois, o Mosquito acusou um dos outros dois, mas, infelizmente, não me lembro mais quem foi que ele acusou.

"Ai, meu Deus", pensou Alice, "vou ter problemas de novo!"

— Lembro-me também — prosseguiu o Cavaleiro — que surgiu uma outra prova, e ou o tribunal sabia que o Bode estava mentindo, ou sabia que os dois insetos estavam dizendo a verdade, mas não me lembro direito qual dessas coisas... talvez as duas.

— O Bode foi condenado ou não? — perguntou Alice.

— Não me recordo muito bem do que *de fato* aconteceu — retrucou o Cavaleiro —, mas lembro-me de que ou o tribunal condenou o Bode ou absolveu o Bode, ou então não fez nenhuma das duas coisas.

— Ora, é claro que o tribunal fez uma dessas três coisas! — exclamou Alice. Não é preciso *lembrar* disso; é uma simples questão de lógica!

— Certíssimo — disse o Cavaleiro —, mas, ainda assim, parece-me que me lembro disso muito bem!

— Há mais alguma coisa de que se lembre? — perguntou Alice.

— Bem, dias atrás encontrei-me com o Cavalheiro vestido de papel branco, aquele que você conheceu no trem. Ele não pôde comparecer ao julgamento, mas estava muito interessado no que havia acontecido, uma vez que conhecia pessoalmente cada um dos três réus. Eu lhe contei o que disse a você até agora e, além disso, lembrei-me, nessa ocasião, se o Bode havia mentido ou se os dois insetos tinham dito a verdade. Quando contei a ele qual dessas coisas tinha acontecido, ele pôde determinar se o Bode fora condenado, inocentado, ou se o tribunal havia ficado indeciso.

O Bode foi condenado, inocentado, ou o tribunal ficou indeciso?

♛ 87

O CASO MAIS INTRIGANTE DE TODOS. De todos os julgamentos que o Cavaleiro Branco contou, o que vem a seguir foi o que ficou mais firmemente gravado na memória de Alice. A princípio, parecia absolutamente impossível resolvê-lo, mas, com um pouco mais de reflexão, ele sucumbiu completamente à análise lógica.

— Nesse julgamento — começou o Cavaleiro Branco —, havia também três réus, e somente um deles era culpado. O primeiro réu declarou que era inocente, ou declarou que era culpado, mas não me lembro qual das duas coisas. O segundo réu declarou que era inocente, ou declarou que era culpado, mas também não me lembro qual dos dois. Então, o terceiro réu acusou o primeiro, ou afirmou que o primeiro era inocente, porém, mais uma vez, não consigo lembrar qual dessas alternativas. Entretanto, lembro-me nitidamente de que *no máximo* uma dessas três declarações era verdadeira.

— No mês passado — prosseguiu o Cavaleiro —, encontrei o Jaguadarte e lhe disse o que contei a você até agora. Também me lembrei, nessa ocasião, do que cada um dos três réus tinha dito e, quando contei ao Jaguadarte o que cada um dissera, ele conseguiu solucionar o caso.

— Entendo — disse Alice —, e agora, considerando essa informação adicional sobre o Jaguadarte, *eu* devo ser capaz de solucionar o caso. É isso?

— Não — respondeu o Cavaleiro Branco, pensativo. Não, não, você ainda não tem informações suficientes.

— O que mais preciso saber?

— Bem — respondeu o Cavaleiro —, uma semana depois de eu falar com o Jaguadarte, encontrei o Tweedledee, que se interessa por esses assuntos, e lhe disse tudo o que contei a você até agora. É claro que ele não pôde solucionar o caso, assim como você não pode neste momento. No entanto, ele me perguntou se eu me lembrava do que tinha dito o primeiro réu. Felizmente, na ocasião eu consegui me lembrar e lhe contei o que dissera o primeiro réu. Apesar disso, Tweedledee não conseguiu resolver o caso.

— Isso é extremamente interessante! — disse Alice. Quer dizer que, sabendo que Tweedledee não pôde resolver o caso, e sabendo o que o senhor lhe disse, eu devo poder solucionar o caso?

— Oh, não — respondeu o Cavaleiro —, ainda tem mais!

— Uma semana depois — prosseguiu o Cavaleiro —, encontrei-me com Tweedledum. Não lhe falei de meu encontro com Tweedle-dee, mas lhe disse todas as outras coisas que contei a você até agora. Aí, o Tweedledum quis saber não o que dissera o primeiro réu, mas, ou me perguntou o que tinha dito o segundo réu, ou me perguntou o que o terceiro réu tinha dito, só que hoje, infelizmente, não consigo lembrar qual dessas perguntas ele me fez. Mas, enfim, qualquer que tenha sido a pergunta que ele me fez, eu sabia a resposta naquele momento e lhe disse. Mesmo assim, Tweedledum não conseguiu resolver o caso.

— Isso está ficando mais intrigante a cada minuto — respondeu Alice. Quer dizer que agora eu tenho informações suficientes para resolver o caso?

— Oh, não — respondeu o Cavaleiro —, ainda tenho que lhe dizer mais coisas.

— Bem — prosseguiu ele —, só na última semana, encontrei o Humpty Dumpty e lhe contei tudo que disse a você até agora. Contei-lhe tudo sobre o fato de o Jaguadarte ter solucionado o caso e tudo sobre o fato de nem Tweedledee nem Tweedledum terem conseguido resolvê-lo, mesmo com as informações adicionais de que dispunham. Humpty Dumpty pegou imediatamente seu lápis e seu caderno de notas e trabalhou por um bom tempo no problema.

Finalmente, abanou a cabeça e disse: "Não tenho dados suficientes! Se ao menos você conseguisse lembrar se foi sobre o segundo ou o terceiro réu que Tweedledum indagou, eu *poderia* conseguir resolver o problema, mas nem assim tenho certeza de que conseguisse." Bem, felizmente, nessa ocasião eu me *lembrava*, e disse ao Humpty Dumpty sobre qual dos dois réus Tweedledum havia perguntado. Não informei ao Humpty Dumpty o que esse réu tinha dito, porque não me lembrei naquele momento, mas disse-lhe de qual réu se tratava. Com isso, Humpty Dumpty conseguiu resolver o caso.

— E agora — concluiu o Cavaleiro Branco —, dei-lhe informações suficientes para que *você* solucione o caso.

— Alice podia *mesmo* resolver esse caso? — perguntou Alice, muito admirada.

— Podia, sim — retruquei —, e você também pode. Só que ele pede um bocado de concentração!

Quem era o culpado?

CAPÍTULO 10

A lógica do espelho

Lewis Carroll contou-nos pouquíssima coisa sobre o outro Cavaleiro Branco; tudo o que nos disse foi que, certa vez, ele tentou colocar o elmo do primeiro Cavaleiro Branco, que era muito descuidado, levando-se em conta que o primeiro Cavaleiro Branco o estava usando na ocasião.

Bem, quando Alice o encontrou, ficou totalmente estarrecida! Muitas afirmações que ele fazia pareciam erradas! "Será possível que ele seja uma dessas pessoas que sempre mentem?", pensou Alice. Não, ela rejeitou prontamente essa ideia, pois sua intuição lhe dizia que ele era uma pessoa completamente sincera. Mas, as coisas que dizia! Primeiro, disse a Alice que era um unicórnio. Quando Alice lhe perguntou "Você realmente acredita que eu seja um unicórnio?", ele respondeu "Não". Em seguida, afirmou que o Rei Branco estava dormindo e sonhando com Alice, mas então disse que o Rei Branco não estava sonhando com coisa alguma. Depois vieram duas afirmações contraditórias (não me lembro exatamente quais), e primeiro ele disse que uma delas era verdadeira, depois afirmou que a outra era falsa, e aí declarou que as duas eram verdadeiras.

A princípio, Alice achou que ele estava sendo simplesmente incoerente, mas nunca conseguiu apanhá-lo numa incoerência direta — isto é, não conseguiu encontrar nenhuma afirmação que ele dissesse ser verdadeira e também dissesse ser falsa, embora ele declarasse que a afirmação tanto era verdadeira quanto falsa! Mesmo assim, ela não conseguia levá-lo a fazer afirmações separadas — uma que o dito era verdadeiro, outra que o dito era falso.

Após várias horas de indagação, Alice reuniu uma quantidade enorme de dados, que registrou em seu caderno de apontamentos. Levou tudo a Humpty Dumpty, para ver se ele conseguia explicar.

— É compreensível — disse Humpty Dumpty, examinando as anotações de Alice. É compreensível.

— O que você quer dizer com isso? — indagou Alice. Esse Cavaleiro Branco é mentiroso?

— Os Cavaleiros Brancos nunca mentem — respondeu Humpty Dumpty.

— Nesse caso, não compreendo — disse Alice —, realmente não compreendo!

— É claro que não — respondeu Humpty Dumpty com desdém —, você não entende a lógica do Espelho!

— E o que é a lógica do Espelho?

— É o tipo de lógica usado pelos lógicos do Espelho — ele respondeu.

— E o que é um lógico do Espelho? — perguntou Alice.

— Ora essa, é alguém que usa a lógica do Espelho — respondeu Humpty. Você certamente podia ter adivinhado *isso*!

Alice pensou um pouco. Por alguma razão, não conseguia achar essa explicação muito útil.

— Sabe — prosseguiu ele —, existem aqui umas pessoas que são chamadas de lógicos do Espelho. As afirmações delas parecem um pouco bizarras, até se entender a chave, que, na verdade, é muito simples. Uma vez entendida a chave, a história toda faz perfeito sentido.

— E qual é a chave? — perguntou Alice, mais curiosa do que nunca.

— Ah, de nada adiantaria *dizer-lhe* qual é a chave! Entretanto, vou lhe dar algumas pistas. Aliás, vou dar-lhe as cinco condições básicas a respeito dos lógicos do Espelho, a partir das quais você poderá *deduzir* a chave. São estas as condições:

Condição Um: O lógico do Espelho é completamente sincero. Faz unicamente afirmações em que de fato acredita.

Condição Dois: Toda vez que um lógico do Espelho declara que uma afirmação é verdadeira, ele também declara não acreditar nela.

— Espere um minuto — interrompeu Alice. Você não está se contradizendo? De acordo com a primeira condição, um lógico do Espelho sempre diz a verdade. Sendo assim, se ele diz que uma afirmação é verdadeira, deve realmente acreditar que ela é verdadeira. Portanto, como é que, sem mentir, ele pode declarar que não acredita na afirmação?

— Boa pergunta — retrucou Humpty Dumpty. Mas eu nunca disse que um lógico do Espelho é sempre *preciso*! O simples fato de ele acreditar numa coisa não significa que *saiba*, necessariamente, que acredita nela, nem que necessariamente acredite que acredita nela. Na verdade, é possível que ele creia, erroneamente, que não acredita nela.

— Quer dizer — perguntou Alice, completamente atônita —, que uma pessoa pode de fato acreditar numa coisa, e mesmo assim acreditar que não acredita nela?

— No caso dos lógicos do Espelho, pode — respondeu Humpty Dumpty —; na verdade, isso *sempre* acontece com os lógicos do Espelho; é uma consequência direta das duas primeiras condições.

— Como assim? — perguntou Alice.

— Bem — respondeu Humpty Dumpty —, suponha que ele acredite que uma afirmação é verdadeira. Nesse caso, pela Condição Um, ele declara que a afirmação é verdadeira. Depois, pela Condição Dois, declara que não acredita na afirmação. Donde, novamente pela Condição Um, ele deve acreditar que não acredita na afirmação.

— Mas, enfim — prosseguiu Humpty Dumpty —, estou dando pistas demais a você! Deixe-me terminar minha lista de condições, e depois você poderá deduzir a chave de todo o mistério.

Condição Três: Dada qualquer afirmação verdadeira, ele (o lógico do Espelho) sempre declara acreditar na afirmação.

Condição Quatro: Quando um lógico do Espelho acredita numa coisa, não pode acreditar igualmente em seu oposto.

Condição Cinco: Dada qualquer afirmação, o lógico do Espelho acredita na afirmação ou acredita em seu oposto.

— E essa — concluiu Humpty Dumpty, orgulhosamente — é a lista completa das condições. A partir delas você deve ser capaz de inferir exatamente que afirmações um lógico do Espelho acredita serem verdadeiras e que afirmações ele acredita serem falsas. Agora vou fazer-lhe algumas perguntas, para testar sua compreensão.

Pergunta Um:— Suponha que um lógico do Espelho acredite que o Rei Vermelho está dormindo. Ele acredita que o Rei Vermelho está sonhando com você, ou não?

— Ora, como é que eu poderia saber? — exclamou Alice.

— Deveria! — respondeu Humpty Dumpty. A resposta é uma decorrência direta das condições, mas só mais tarde lhe direi qual é. Enquanto isso, deixe-me perguntar-lhe o seguinte:

Pergunta Dois: — Suponha que um lógico do Espelho acredite que o Rei Vermelho ou a Rainha Vermelha estão dormindo. Deduz-se daí que ele acredita que a Rainha Vermelha está dormindo?

— Por que se deduziria? — respondeu Alice.

— Deduz-se — respondeu Humpty Dumpty —, mas só depois vou lhe dizer por quê. Até lá, experimente esta:

Pergunta Três: — Suponha que ele (o lógico do Espelho) acredite que o Rei Vermelho está dormindo. Acredita ele, necessariamente, que a Rainha Vermelha está dormindo?

— Ora essa, mas por que diabos deveria acreditar? — perguntou Alice, mais perplexa do que nunca.

— Boa pergunta — retrucou Humpty Dumpty —, e iremos discuti-la depois. Entrementes, tente esta:

Pergunta Quatro:— Suponha que ele acredite que o Rei Vermelho está dormindo. Será que ele acredita, necessariamente, que o Rei Vermelho e a Rainha Vermelha estão ambos dormindo?

— Essa pergunta não é igual à última? — indagou Alice. Se ele acredita que o Rei Vermelho está dormindo, não é a mesma coisa

acreditar que a Rainha Vermelha está dormindo e acreditar que os dois estão dormindo?

— De modo algum — respondeu Humpty Dumpty, em tom decidido.

— Por que não? — perguntou Alice.

— Depois eu lhe digo — respondeu Humpty Dumpty. Enquanto isso, experimente esta:

Pergunta Cinco: — Suponha que ele acredite que o Rei Vermelho e a Rainha Vermelha estão ambos dormindo. Deduz-se daí que ele acredita que o Rei Vermelho está dormindo?

— Imagino que sim — respondeu Alice.

— Mas não se deduz! — afirmou Humpty Dumpty. Olhe, experimente esta:

Pergunta Seis: — Suponha que ele acredite que o Rei Vermelho e a Rainha Vermelha estão ambos dormindo, ou ambos acordados. Depreende-se disso que ele acredita, a respeito de um, que ele ou ela está dormindo, e a respeito do outro, que ele ou ela está acordado?

— É claro que não! — disse Alice.

— Depreende-se *sim*! — disse Humpty Dumpty —, mas só vou lhe dizer por que depois. Veja, tente esta:

Pergunta Sete: — Suponha que ele acredite que o Leão não fica na floresta a menos que o Unicórnio esteja com ele. Ele acredita que o Leão está ou não está na floresta?

— Não vejo como saber! — retrucou Alice.

— É claro que não — respondeu Humpty Dumpty, desdenhosamente —, você ainda não tem a chave! Bom, experimente esta:

Pergunta Oito: — Suponha que ele acredite que o Jaguadarte fez pelo menos uma afirmação verdadeira em sua vida. Deduz-se daí que ele acredita em todas as afirmações já feitas pelo Jaguadarte?

— Ora, e por que se deduziria? — indagou Alice. Isso está parecendo uma completa tolice!

— *Deduz-se*, sim — afirmou Humpty Dumpty —, mas acho que estou lhe dando pistas demais! Bem, vejamos se você consegue descobrir esta:

Pergunta Nove: — Suponha que ele acredite que todos os grifos têm asas. Deduz-se daí que existe algum grifo?

— Estou completamente confusa com isso tudo! — exclamou Alice. Não faço a menor ideia do que vem a ser a lógica do Espelho!

— Bem, experimente esta — disse Humpty Dumpty.

Pergunta Dez: — Suponha que ele acredite que Alice não chegará à Oitava Casa sem se tornar rainha. Suponha que ele também acredite que Alice chegará à Oitava Casa. Ele acredita ou não acredita que Alice se tornará rainha?

— Acho que sim — respondeu Alice —, não é?

— Bem — disse Humpty Dumpty, rindo —, esta última pergunta foi mesmo meio parcial, de modo que não espero que você descubra.

— Mais parcial do que as outras? — indagou Alice.

— Decididamente — respondeu ele —; as outras perguntas eram todas perfeitamente imparciais.

— Acho *todas* igualmente confusas! — retrucou Alice. Continuo sem entender essa lógica do Espelho!

Pois bem, se *você*, tal como Alice, houver se confundido a esse ponto, dificilmente direi que a culpa é sua! No entanto, a chave de todo o mistério é quase risivelmente simples. Em vez de dar a este capítulo uma seção de soluções, incorporarei as soluções no diálogo que se segue.

Humpty Dumpty explica

— Bem — disse Humpty Dumpty —, é mais do que hora de você tentar descobrir a chave!

— Não faço ideia nem mesmo de onde começar!

— Considere o seguinte — disse Humpty Dumpty. É possível que um lógico do Espelho acredite numa afirmação verdadeira?

— Por que não? — perguntou Alice.

— Bem, você está lembrada do que lhe provei antes, isto é, que toda vez que um lógico do Espelho acredita em alguma coisa, ele também acredita que não acredita nela?

— Ss... sim — disse Alice —, mas esqueci a demonstração; quer repassá-la, por favor?

— Certamente — respondeu Humpty. Considere qualquer afirmação em que um lógico do Espelho acredite. Como acredita na afirmação, ele faz a afirmação (pela Condição Um), donde declara não acreditar nela (pela Condição Dois), donde acredita que não acredita nela (pela Condição Um).

— Oh, sim — disse Alice —, agora me lembro!

— Bem, para ter certeza de que continuará a se lembrar, quero que você anote isso em seu caderno de apontamentos e lhe dê o título de Proposição Um.

Assim, Alice escreveu o seguinte:

Proposição 1 – Toda vez que um lógico do Espelho acredita em alguma coisa, ele acredita que não acredita nela.

— A próxima coisa a reconhecer — disse Humpty Dumpty — é que, dada qualquer afirmação verdadeira, um lógico do Espelho acredita que *de fato* acredita nessa afirmação.

— E por quê? — perguntou Alice.

— Ah, isso é fácil de demonstrar! — respondeu Humpty Dumpty. Considere qualquer afirmação verdadeira. Pela Condição Três, ele afirma que acredita nessa afirmação. Uma vez que diz acreditar nela e que é sincero (Condição Um), ele acredita que acredita.

— Entendo — disse Alice.

— É melhor anotar isso, e chame-o de Proposição Dois — sugeriu Humpty Dumpty.

Assim, Alice escreveu o seguinte:

Proposição 2 – Dada qualquer afirmação verdadeira, o lógico do Espelho acredita que acredita na afirmação.

— Agora — disse Humpty Dumpty —, está vendo porque é impossível que um lógico do Espelho jamais venha a acreditar numa afirmação verdadeira?

— Não realmente — admitiu Alice.

— É uma decorrência simples da Proposição Um, da Proposição Dois e da Condição Quatro — respondeu ele. Considere qualquer afirmação em que um lógico do Espelho acredite. Pela Proposição Um, ele acredita que não acredita na afirmação. Então, não pode igualmente acreditar que *acredita* na afirmação (porque, pela Condição Quatro, ele nunca pode acreditar em alguma coisa e também em seu oposto). Uma vez que ele não acredita que acredita, a afirmação não pode ser verdadeira, porque, se *fosse* verdadeira, pela Proposição Dois, ele *acreditaria* acreditar nela. Mas ele *não* acredita que acredite nela, logo, ela não pode ser verdadeira. Assim, como você vê, um lógico do Espelho nunca acredita em nenhuma afirmação verdadeira; todas as coisas em que ele acredita são falsas.

Alice ponderou sobre isso por algum tempo. — É uma demonstração bem difícil! — exclamou.

— Ah, com o tempo você se acostuma!

Alice pensou um pouco mais. — Diga-me outra coisa — pediu. Um lógico do Espelho acredita necessariamente em todas as afirmações falsas, ou será que acredita unicamente em afirmações falsas?

— Essa é uma boa pergunta, menina — respondeu Humpty Dumpty —, e a resposta é sim. Considere qualquer afirmação falsa. Pela Condição Cinco, ou ele acredita na afirmação ou acredita em seu oposto. Não pode acreditar em seu oposto, porque seu oposto é verdadeiro! Logo, ele acredita na afirmação falsa.

— Que coisa extraordinária! — exclamou Alice. Então, um lógico do Espelho acredita em *todas* as afirmações falsas e em nenhuma verdadeira!

— Exatamente — disse Humpty Dumpty —, e esse é o lado bonito da coisa!

— Uma outra coisa interessante — acrescentou — é que qualquer um que acredite em todas as afirmações falsas e em nenhuma afirmação verdadeira, e que também seja sincero ao expressar suas crenças, qualquer pessoa assim tem que atender às cinco condições básicas que caracterizam os lógicos do Espelho.

— Por quê? — perguntou Alice.

— Oh, isso é muito fácil de demonstrar! — respondeu Humpty Dumpty. Suponha que uma pessoa seja completamente franca e que também acredite em todas as afirmações falsas, e somente nelas. Por ser sincera, é claro que ela atende à Condição Um. Quanto à Condição Dois, suponha que ela diga que uma afirmação é verdadeira. Nesse caso, ela realmente acreditará na afirmação (porque é sincera). Portanto, será falso que ela não acredita na afirmação. Mas ela acredita em *tudo* que é falso, até em coisas falsas sobre suas próprias crenças! Logo, como é falso que ela não acredita na afirmação, e visto que ela acredita em tudo que é falso, ela deverá acreditar no fato falso de que não acredita na afirmação; em outras palavras, acreditará que não acredita na afirmação. E, uma vez que ela *acredita* que não acredita na afirmação, ela *dirá* que não acredita (porque, como estamos lembrados, ela é sincera). Portanto, ela atenderá à Condição Dois.

— Quanto à Condição *Três* — prosseguiu Humpty —, considere qualquer afirmação verdadeira. Por ser verdadeira, a pessoa não pode acreditar nela. E, como *não* acredita, deve acreditar que *acredita* (porque todas as suas crenças são erradas!). Então, já que ela acredita que acredita, tem que dizer que acredita (de novo, porque ela é sincera). Isso prova que ela atende à Condição Três.

— As Condições Quatro e Cinco são óbvias — continuou Humpty Dumpty. Considere qualquer afirmação e seu oposto. Uma delas tem que ser verdadeira, e a outra tem que ser falsa. Logo, a pessoa acredita na afirmação falsa e não acredita na verdadeira. Assim, não acredita nas duas, donde atende à Condição Quatro, mas acredita em pelo menos uma delas, de modo que atende à Condição Cinco.

— E essa — concluiu Humpty Dumpty — é a história completa: um lógico do Espelho é sincero, mas totalmente iludido. Inversamente, qualquer um que seja sincero e totalmente iludido atende às cinco condições para ser lógico do Espelho. Agora você tem a chave.

— Há uma coisa que ainda me intriga — disse Alice. Por que é que um lógico do Espelho nunca faz nenhuma afirmação e também seu oposto, mas declara que a afirmação e seu oposto são ambos verdadeiros?

— Isso é fácil — respondeu Humpty Dumpty. Tome, por exemplo, a afirmação de que o Rei Vermelho está dormindo. O oposto dela é que o Rei Vermelho está acordado. Claramente, uma delas é verdadeira e a outra é falsa. O lógico do Espelho só acredita na que é falsa, donde não pode acreditar em cada uma delas separadamente. Mas a afirmação *isolada* de que o Rei Vermelho está dormindo e acordado é uma afirmação falsa, donde o lógico do Espelho tem que acreditar nessa afirmação falsa.

— E agora que você tem a chave — acrescentou —, todas as respostas a minhas dez perguntas devem ser óbvias.

Eis as respostas que Humpty-Dumpty deu a essas dez perguntas:

1. Visto que o lógico do Espelho acredita que o Rei Vermelho está dormindo, o Rei Vermelho deve mesmo estar acordado. Portanto, o Rei Vermelho não está sonhando com Alice. (Quando digo sonhar, não quero dizer devanear!) Uma vez que o Rei Vermelho não está sonhando com Alice, o lógico do Espelho deve acreditar que ele está sonhando com Alice.

2. Dado que ele (o lógico do Espelho) acredita que ou o Rei Vermelho ou a Rainha Vermelha está dormindo, é falso que o rei ou a rainha estejam dormindo. Isso significa que ambos estão realmente acordados. Como a Rainha Vermelha está acordada, ele deve acreditar que ela está dormindo. (Pela mesma razão, também deve acreditar que o Rei Vermelho está dormindo.)

3. Ele acredita que o Rei Vermelho está dormindo, o que significa meramente que o Rei Vermelho está acordado. Isso não nos diz nada sobre se a Rainha Vermelha está dormindo ou não, de modo que não temos como saber se ele acredita que ela está dormindo.

4. Essa é uma história diferente! Uma vez que ele acredita que o Rei Vermelho está dormindo, é falso que o Rei Vermelho esteja dormindo. Donde é certamente falso que o Rei Vermelho e a Rainha estejam ambos dormindo! Logo, ele deve acreditar que os dois estão dormindo.

Portanto, o curioso é que ele não acredita necessariamente que a Rainha Vermelha está dormindo, mas acredita que o Rei Vermelho e a Rainha Vermelha estão ambos dormindo!

5. Ele acredita que ambos estão dormindo, donde se deduz apenas que pelo menos um deles está acordado. Não sabemos qual, donde não podemos determinar se o lógico do Espelho acredita ou não que o rei está dormindo.

6. Uma vez que ele acredita que os dois estão dormindo, ou que os dois estão acordados, não é verdade que ambos estejam dormindo ou ambos estejam acordados. Isso significa que um deles está dormindo e o outro está acordado. O que está dormindo ele acredita que esteja acordado, e o que está acordado ele acredita que esteja dormindo.

7. Já que a crença dele é falsa, na verdade o Leão deve estar na floresta sem o Unicórnio. Portanto, o Leão está na floresta. Logo, ele deve acreditar que o Leão não está na floresta.

8. Como a crença dele é falsa, o Jaguadarte nunca fez nenhuma afirmação verdadeira em sua vida; todas as afirmações feitas pelo Jaguadarte foram falsas. Portanto, o lógico do Espelho deve acreditar em todas elas!

9. Visto que ele acredita que todos os grifos têm asas, é falso que todos os grifos tenham asas, o que significa que tem que haver pelo menos um grifo sem asas. Logo, deve existir pelo menos um grifo.

10. Essa é uma pergunta traiçoeira, porque não é possível que um lógico do Espelho acredite nesses dois fatos!

Suponha que ele acredite que Alice não chegará à Oitava Casa sem se tornar rainha. Então, é falso que Alice não chegará à Oitava Casa sem se tornar rainha, o que significa que Alice chegará à Oitava Casa sem se tornar rainha. Portanto, é verdade que Alice chegará à Oitava Casa, donde é impossível que o lógico do Espelho acredite que ela chegará.

CAPÍTULO 11

A teoria do Rei Vermelho

Nesse ponto, a conversa de Alice com Humpty Dumpty foi interrompida por um estranho barulho rouco à distância — algo como o resfolegar de uma máquina a vapor.

— Que é isso? — perguntou Alice, meio alarmada.

— Ah, é apenas o ronco do Rei Vermelho — respondeu Humpty Dumpty. Você devia dar uma espiada nele: é uma visão e tanto!

— É, sim — disse Alice, lembrando-se de sua primeira viagem Através do Espelho. Já o vi dormindo uma vez; na ocasião, eu estava com Tweedledum e Tweedledee, e eles me disseram que o Rei Vermelho estava sonhando *comigo* e que eu não era nada além de uma coisa no sonho dele, e que, se ele acordasse, eu não existiria mais. Ora, não foi uma bobagem dizer isso?

— Por que você não experimenta acordá-lo e descobrir? — respondeu Humpty Dumpty.

— Estou quase pensando em fazê-lo! — respondeu Alice, em tom de desafio. Só que seria muito indelicado, você sabe!

— *Eu* não sei — respondeu Humpty Dumpty. De qualquer modo, você pode dar uma espiada nele, se quiser; quero ficar por aqui e trabalhar em mais uns quebra-cabeças lógicos.

Diante dessa deixa, Alice achou que devia partir. Depois de agradecer a Humpty Dumpty por sua instrutiva aula de lógica, abriu caminho pela floresta em direção ao ronco.

Quando deparou com o Rei Vermelho, ele estava acabando de acordar, e Tweedledum e Tweedledee estavam bem por perto, a vigiá-lo.

— Com que, então, o rei está acordado! — gritou Alice para os irmãos Tweedle. E eu continuo a existir tanto quanto antes. O que vocês têm a dizer a esse respeito? — acrescentou, triunfante.

— Acho melhor voltarmos para casa — disse Tweedledee a seu irmão. Pode chover a qualquer momento. *Você* pode ficar, se quiser — disse a Alice —, mas meu irmão e eu temos que ir andando, sabe?

Alice olhou para cima, mas não havia uma só nuvem no céu.

— Acho que vou ficar — disse ela. Gostaria de ter uma conversa com o Rei Vermelho. Mas quero muito agradecer-lhes de novo por aqueles encantadores jogos lógicos. Gostei imensamente deles!

De braços dados, os dois irmãos retiraram-se lentamente da floresta, passeando.

Depois de observá-los por algum tempo, Alice voltou-se para o Rei Vermelho, que a essa altura estava completamente desperto.

— Você deve ser *Alice*! — disse o Rei.

— Bem, sou — respondeu Alice —, mas como é que o senhor sabia?

— Oh! — respondeu o Rei —, acabo de ter o mais estranho dos sonhos! Sonhei que eu estava andando pelos bosques com Tweedledee e Tweedledum, e deparamos com uma menina *exatamente* como você, enroscada junto a uma árvore e dormindo a sono solto. "Quem é essa?", perguntei. "Ora, é *Alice*", respondeu Tweedledee, "e o senhor sabe com que ela está sonhando?" Eu respondi: "E como poderia alguém saber com que ela está sonhando?" "Ora essa, ela está sonhando com *o senhor*!", ele respondeu. Aí, os dois irmãos tentaram convencer-me de que eu não tinha vida própria independente, mas era apenas uma ideia na sua cabeça e, se você acordasse, eu me apagaria, puff!, feito uma vela!

— Por isso — continuou o rei —, certamente estou contente por vê-la acordada e ver que eu *não* me apaguei, puff!, feito uma vela!

— Que coisa absolutamente extraordinária! — exclamou Alice. Ora, a mesmíssima coisa aconteceu, às avessas, da primeira vez que eu o vi: o senhor estava dormindo, eu estava com Tweedledee e Tweedledum, e eles me disseram que o senhor estava sonhando comigo e que, se acordasse, *eu* deixaria de existir, e me apagaria, puff!, feito uma vela!

— Bem, estamos os dois acordados, e nenhum de nós se apagou, puff!, feito uma vela — respondeu o rei com um sorriso. Portanto, parece que os irmãos Tweedle estavam enganados, ou apenas querendo implicar conosco!

— Como posso ter certeza de que estou acordada? — perguntou Alice. Por que não é possível que eu esteja dormindo e sonhando com tudo isso?

— Ah, eis uma pergunta interessante e muito difícil de responder! — retrucou o rei. Certa vez, tive uma longa discussão filosófica com Humpty Dumpty a esse respeito. Você o conhece?

— Oh, sim! — respondeu Alice.

— Bem, Humpty Dumpty é um dos argumentadores mais argutos que conheço; é capaz de convencer praticamente qualquer um de praticamente qualquer coisa, quando se dispõe a fazê-lo! Seja como for, *quase* me convenceu de que eu não tinha nenhuma razão válida para ter certeza de que estava acordado, mas fui mais esperto do que ele! Precisei de umas três horas, mas finalmente o convenci de que eu *tinha* que estar acordado, e então ele admitiu que eu tinha vencido a discussão. E aí...

O rei não terminou a frase, ficando absorto em seus pensamentos.

— E aí *o quê*? — perguntou Alice.

— E aí eu acordei! — disse o rei, meio sem graça.

— Ah, então o Humpty Dumpty estava certo, afinal! — exclamou Alice.

— Certo sobre *o quê?* — perguntou o rei. — Nunca tive realmente essa conversa com Humpty Dumpty; apenas *sonhei* que tive!

— Eu não estava falando do *verdadeiro* Humpty Dumpty — retrucou Alice. Referi-me ao Humpty Dumpty com quem o senhor sonhou. *Ele* é que estava certo!

— Ora, espere um minuto! — disse o rei: — O que você está tentando me dizer: que existem *dois* Humpty Dumptys, um real e outro com quem sonhei?

Alice não soube muito bem o que responder a isso.

— Seja como for — disse o rei —, nesse meio tempo, pensei num argumento muito melhor, que prova que estou acordado; esse argumento não *pode* estar errado; *tem* que estar certo!

— Bom, *isso* eu gostaria de ouvir! — disse Alice.

— Bem — disse o rei —, para começar, sustento a teoria de que todas as pessoas do mundo são de um de dois tipos: o Tipo A ou o Tipo B. As do Tipo A são totalmente corretas em suas crenças quando estão acordadas, mas totalmente incorretas quando estão dormindo. Tudo em que acreditam quando estão acordadas é verdadeiro, mas tudo em que acreditam quando dormem é falso. As pessoas do Tipo B são o contrário: tudo em que acreditam quando estão dormindo é verdadeiro, e tudo em que acreditam quando acordadas é falso.

— Que teoria extraordinária! — disse Alice. Mas, que prova tem o senhor de que ela está certa?

— Oh, depois eu lhe provarei, sem a menor sombra de dúvida, que ela *está* correta, mas, por enquanto, quero que você se dê conta de algumas consequências da teoria. Para começar, as duas proposições seguintes são uma decorrência imediata:

Proposição Um. Se, num dado momento, uma pessoa acredita que está acordada, ela deve ser do Tipo A.

Proposição Dois. Se, num dado momento, uma pessoa acredita que é do Tipo A, ela deve estar acordada nesse momento.

Em seguida, o rei demonstrou a contento essas duas proposições a Alice; pelo menos, Alice não conseguiu encontrar nenhuma falha nos argumentos.

♛ 88

UMA PERGUNTA. As Proposições 1 e 2 são mesmo uma decorrência da teoria do Rei Vermelho?

♜ ♜ ♜

— Agora que você compreendeu as demonstrações das Proposições Um e Dois — prosseguiu o rei —, está pronta para a demonstração de que estou acordado neste momento.

A demonstração do Rei Vermelho

— Vou demonstrar três coisas — disse o rei. Provarei: (1) que sou do Tipo A; (2) que estou acordado; (3) que minha teoria está certa.

— Para começar — prosseguiu —, você deve aceitar a premissa de que *acredito* nessas três coisas. Você me concede isso?

— Oh, certamente — respondeu Alice. Não duvido nem por um instante que o senhor *acredite* nessas coisas; a única dúvida em minha mente é se elas são realmente verdadeiras!

— Do fato de eu acreditar nelas — disse o rei — deduz-se que elas *têm* que ser verdadeiras!

— Como?!? — disse Alice, atônita. O senhor está dizendo que, pelo fato de alguém *acreditar* em alguma coisa, deduz-se que ela deve ser verdade?

— É claro que não! — exclamou o rei. Sei tão bem quanto você que, pelo simples fato de alguém acreditar em algo, isso não significa necessariamente que esse algo seja verdade. Contudo, essas três coisas, em particular, têm a notável propriedade de que acreditar em todas três *faz* com que elas sejam verdadeiras!

— Como é possível isso? — perguntou Alice.

— É o que eu pretendo lhe provar! — disse o rei. Agora, menina, preste bastante atenção: como acredito que estou acordado, devo ser do Tipo A.

— Isso é uma decorrência da Proposição Um — disse Alice.

— Exatamente! — retrucou o rei. E, pela Proposição Dois, já que acredito ser do Tipo A, tenho que estar acordado agora.

— Sim — disse Alice.

— Pois muito bem — concluiu o rei, triunfalmente. Já que estou acordado e sou do Tipo A, minhas crenças atuais devem ser todas corretas. Uma vez que minhas crenças atuais são corretas e que acredito na teoria que formulei, a teoria *é* verdadeira! Que prova melhor do que essa você poderia querer?

CAPÍTULO 12

Que Alice?

— Ora, espere aí um instante — disse Miguel —, você não espera que eu acredite na teoria do Rei Vermelho, não é?

— Por que não? — retruquei, mal conseguindo prender o riso.

— É a teoria mais ridícula que eu já ouvi na minha vida!

— Por quê? — perguntei. Não é uma teoria logicamente possível?

— É claro que não! — gritou Miguel. A teoria toda é uma maluquice, do começo ao fim!

— Mas o rei *provou* que sua teoria estava certa, não foi? — perguntei.

Houve um silêncio longo e pensativo. Alice foi a primeira a quebrá-lo.

— Na verdade, não provou — disse ela. A demonstração do Rei Vermelho foi uma falácia.

— Mas, exatamente onde estava a falácia? — indaguei, em tom inocente.

— A argumentação toda era circular — respondeu Alice. As provas de que uma pessoa que acredita ser do Tipo A deve estar acordada, e de que uma pessoa que acredita estar acordada deve ser do Tipo A... essas provas dependem de a teoria estar certa, antes de mais nada!

— Muito bem! — respondi. A falácia é exatamente essa!

— Então, eu tinha razão! — exclamou Miguel. A teoria *é* falsa!

— Não, não! — corrigi, severamente. Alice não provou que a teoria é falsa; apenas provou que o Rei Vermelho não conseguiu demonstrar que a teoria é verdadeira. Mas o simples fato de a demonstração do rei estar errada não significa que a teoria em si esteja errada.

— É a teoria mais boba de que já tive notícia! — disse Miguel, enfaticamente.

— Boba é uma coisa, logicamente impossível é outra — respondi. Admito que a teoria é altamente improvável, mas isso não quer dizer que seja logicamente impossível.

— E há uma coisa na argumentação do rei que merece ser observada — acrescentei —, ou seja, que, se o próprio rei fosse do Tipo A ou do Tipo B, sua crença nessas três coisas *iria* torná-las verdadeiras! A argumentação do rei seria válida, se acrescentássemos a premissa de que ele é do Tipo A ou do Tipo B; se o rei for de um desses dois tipos, realmente se deduz daí que todas as outras pessoas também são; em outras palavras, que a teoria deve estar certa.

— Ainda acho que é a teoria mais estúpida que eu já ouvi — disse Miguel, e esse pareceu ser o fim da conversa.

Na verdade, porém, não foi realmente o fim da conversa! Naquela noite, Alice teve um sonho notável. Ao se deitar, ela estava com a cabeça cheia de todos os quebra-cabeças estranhos que ouvira naquele dia, particularmente a inversão da verdade e da mentira dos lógicos do Espelho e a teoria do Rei Vermelho.

"Será mesmo possível que a teoria do Rei Vermelho esteja certa?", pensou Alice. "E, se estiver, eu me pergunto de que tipo eu seria, se do Tipo A ou do Tipo B."

Então, Alice teve o sonho. Sonhou que era a outra Alice, a Alice que atravessou o espelho. Sonhou que encontrava o Rei Vermelho e lhe explicava a falha de sua demonstração. Então, ele corrigia essa falha, dando-lhe outra prova de que era realmente do Tipo A ou do Tipo B. (Infelizmente, na manhã seguinte, Alice não conseguiu lembrar-se de qual fora a prova, de modo que não posso contá-la a *você*!) De qualquer modo, Alice ficou plenamente convencida, durante o sono, de que o rei era mesmo do Tipo A ou do Tipo B, e portanto (pelo primeiro argumento do rei), de que todo o mundo era do Tipo A ou do Tipo B. Foi quando os dois tiveram a seguinte conversa:

— Existe uma outra Alice — disse o rei —, que neste momento está dormindo e sonhando que é você.

— Que coisa extraordinária! — exclamou Alice. Não será possível que *eu* é que esteja dormindo e sonhando que sou ela?

— Dá na mesma — respondeu o rei.

Esse comentário intrigou Alice terrivelmente! Ela não conseguia entender, de maneira alguma, *por que* era a mesma coisa.

— Que Alice você acha que é? — perguntou o rei.

— Neste momento, mal sei dizer! — respondeu ela.

— Você é do Tipo A ou do Tipo B? — perguntou o rei.

— Receio que eu também não saiba dizer isso — respondeu Alice. Na verdade, neste momento, não tenho certeza de estar dormindo ou acordada.

— Bem, deixe-me testá-la — disse o rei. De que cor são seus olhos?

— Ora, castanhos, é claro... Oh, não, acho que são azuis! Bem, espere, isso depende de que Alice eu realmente sou. Que Alice sou eu, e de que cor são meus olhos?

— Bem, deixe-me colocar as coisas da seguinte maneira — respondeu o rei. Acontece que o Jaguadarte está informado a respeito de você e da outra Alice. Quando está dormindo, ele acredita que uma de vocês tem olhos castanhos e a outra tem olhos azuis. Quando está acordado, ele acredita que você tem olhos castanhos e a outra Alice tem olhos azuis. E então, sabe me dizer qual é a cor dos seus olhos?

Bem, caros leitores, deixarei este pequeno enigma com vocês, para que o resolvam sozinhos. Qual é a cor dos olhos de minha amiga Alice, e que dizer da outra Alice? Um segundo problema: de que tipo é o Jaguadarte?

Soluções dos Enigmas

Capítulo 1

QUAL DELES É JOÃO? Para descobrir qual dos irmãos é João, pergunte a um deles: "João é verdadeiro?" Se ele responder "sim", deve ser João, independentemente de estar mentindo ou dizendo a verdade. Se disser "não", João será o outro. Isso pode ser demonstrado da seguinte maneira.

Se ele responder "sim", estará afirmando que João diz a verdade. Se essa afirmação for verdadeira, João será realmente o que diz a verdade e, como o falante está sendo verdadeiro, ele deve ser João. Se sua afirmação for mentirosa, João não será realmente verdadeiro; nesse caso, João mentirá como o falante, donde, mais uma vez, o falante deverá ser João. Isso prova que, independentemente de o falante dizer a verdade ou mentir, ele deve ser João (presumindo-se que responda "sim").

Se ele responder "não", estará afirmando que João não é verdadeiro. Se essa afirmação for verdadeira, João será mentiroso; se a afirmação for mentirosa, João *será* verdadeiro. Em qualquer dos casos, o falante não é como João, portanto, deve ser o irmão de João. Assim, a resposta "não" indica que o falante não é João.

Naturalmente, a pergunta "O João mente?" também serve: uma resposta "sim" indicará, nesse caso, que o falante *não* é João, e uma resposta "não" indicará que ele *é* João.

Essas são as únicas perguntas de três palavras em que consigo pensar e que devem funcionar. Será que existem outras?

Quanto ao segundo quebra-cabeça — descobrir uma pergunta que determine se João mente — basta que você indague: "Você é João?"

Suponhamos que ele responda "sim". Ou estará dizendo a verdade, ou não. Suponhamos que esteja. Nesse caso, ele será realmente João e, por estar dizendo a verdade, João será verdadeiro. Por outro lado, suponhamos que ele esteja mentindo. Nesse caso, não será realmente João (já que está dizendo que é). Portanto, estará mentindo e não será João, donde João deve ser o irmão que diz a verdade. Isso prova que, se ele responder "sim", independentemente de estar mentindo ou dizendo a verdade, João deverá ser verdadeiro.

Suponhamos que ele responda "não". Ou estará mentindo, ou dizendo a verdade. Suponhamos que diga a verdade. Nesse caso, realmente não será João; João deverá ser o outro irmão e (considerando que ele está dizendo a verdade) João deve ser o mentiroso. Por outro lado, suponhamos que ele esteja mentindo. Nesse caso (já que afirma não ser João), ele deve ser João e, também nesse caso, João mente. Isso prova que, se a resposta for "não", independentemente de o falante dizer a verdade ou mentir, João deve ser o que mente.

Há uma bela simetria entre as soluções desses dois quebra-cabeças: para descobrir se ele (o irmão a quem nos dirigimos) é João, pergunta-se: "O João mente?" Para descobrir se João mente, pergunta-se: "Você é João?"

Capítulo 2

♛ 1

PRIMEIRA HISTÓRIA. O Chapeleiro disse, de fato, que ou a Lebre de Março ou o Leirão haviam cometido o furto. Se o Chapeleiro mentiu, nem a Lebre de Março nem o Leirão roubaram a geleia, o que significa que a Lebre de Março não a roubou e, portanto, estava dizendo a verdade. Logo, se o Chapeleiro mentiu, a Lebre de Março não mentiu, donde é impossível que tanto um quanto o outro tenham mentido. Assim, o Leirão disse a verdade ao afirmar que o Chapeleiro e a Lebre de Março não haviam ambos mentido. Portanto, sabemos que o Leirão disse a verdade. Mas somos informados de que o Leirão e a Lebre de Março não disseram, ambos, a verdade. Assim, uma vez que o Leirão o fez, a Lebre de Março não disse a verdade. Isso significa que ela mentiu e que sua afirmação foi falsa, o que equivale a dizer que a Lebre de Março roubou a geleia.

♛ 2

SEGUNDA HISTÓRIA. Suponhamos que a Lebre de Março tenha roubado a farinha. Uma vez que o ladrão disse a verdade, isso significaria que a afirmação da Lebre de Março era verdadeira — em outras palavras, que o Chapeleiro a roubou. Mas somos informados de que apenas uma criatura a roubou, de modo que não é possível que a Lebre de Março a tenha furtado. Logo, a Lebre de Março é inocente; mas somos informados de que os dois inocentes mentiram, portanto, a Lebre de Março mentiu. Assim, não é verdade que o Chapeleiro tenha roubado a farinha (como afirmou a Lebre de Março). Logo, se nem a Lebre de Março nem o Chapeleiro cometeram o furto, deve ter sido o Leirão quem roubou a farinha.

♛ 3

TERCEIRA HISTÓRIA. Se a Duquesa havia roubado a pimenta, é claro que sabia disso, portanto, teria dito a verdade ao afirmar que sabia quem havia roubado a pimenta. Mas somos informados de que as pessoas que roubam pimenta nunca dizem a verdade. Portanto, a Duquesa deve ser inocente.

♛ 4

LOGO, QUEM ROUBOU A PIMENTA? Se a Lebre de Março roubou a pimenta, ela mentiu (porque as pessoas que roubam pimenta sempre mentem), de modo que sua afirmação sobre o Chapeleiro seria falsa, o que significaria que o Chapeleiro também roubou a pimenta. Mas dizem-nos que não mais de uma criatura roubou a pimenta. Assim, a Lebre de Março não poderia tê-la roubado. Como a Lebre de Março é inocente, ela disse a verdade — donde o que disse sobre o Chapeleiro era verdade, de modo que o Chapeleiro também é inocente. Assim, o Chapeleiro também disse a verdade, o que significa que o Leirão é igualmente inocente. Por conseguinte, nenhum dos três suspeitos roubou a pimenta.

♛ 5

ENTÃO, QUEM *FOI* QUE ROUBOU A PIMENTA? Suponhamos que o Grifo fosse culpado. Nesse caso, ele terá mentido, o que significa que a Falsa Tartaruga não é inocente (como disse o Grifo), e sim culpada, o que nos levaria a ter dois culpados, coisa que não temos (como foi mencionado no último problema). Portanto, o Grifo é inocente. Sendo assim, sua afirmação é verdadeira, donde a Falsa Tartaruga é inocente. Logo, a afirmação da Falsa Tartaruga é verdadeira, de modo que a culpada é a Lagosta.

♛ 6

UM METAENIGMA. Para quem conhece o livro, a Lagosta (ao contrário do Grifo e da Falsa Tartaruga) nunca figurou realmente em *Alice no País das Maravilhas* — foi, antes, um personagem num dos *poemas* recitados por Alice.

♛ 7

QUARTA HISTÓRIA. Suponhamos que a Duquesa tenha roubado o açúcar. Nesse caso, ela mentiu, o que significa que sua afirmação de que a Cozinheira não roubara o açúcar foi falsa — em outras palavras, a Cozinheira também deve ter roubado o açúcar. Mas somos informados de que apenas uma pessoa roubou o açúcar. Logo, é impossível que a Duquesa o tenha roubado, donde foi a Cozinheira que roubou o açúcar. (A propósito, as duas devem ter mentido.)

♛ 8

QUINTA HISTÓRIA. Se o Gato de Cheshire houvesse comido o sal, todos três estariam mentindo, de modo que essa possibilidade está excluída. Se Bill houvesse comido o sal, todos três estariam dizendo a verdade, de modo que essa possibilidade fica excluída. Portanto, a Lagarta deve ter comido o sal (donde também as duas primeiras afirmações são falsas e a terceira é verdadeira).

♛ 9

SEXTA HISTÓRIA. Se o Lacaio-Rã tivesse roubado a assadeira, ele e o Valete teriam mentido, o que exclui essa possibilidade. Se o Lacaio-

Peixe a houvesse roubado, ele e o Valete teriam mentido, de modo que isso está fora. Portanto, foi o Valete de Copas quem a roubou (e, com bastante senso de humor, disse a verdade — o que o Lacaio-Peixe também fez).

♛ 10

SÉTIMA HISTÓRIA. É impossível que o Gato de Cheshire houvesse roubado o livro, porque, nesse caso, o ladrão estaria dizendo a verdade. Portanto, o Gato de Cheshire não o roubou (e o gato e a Duquesa estavam ambos mentindo). Se a Cozinheira houvesse roubado o livro, todos três estariam mentindo, o que seria contrário ao que nos é dito. Logo, foi a Duquesa que o roubou (e portanto, a Duquesa está mentindo, o Gato de Cheshire está mentindo e a Cozinheira está dizendo a verdade).

♛ 11

SÉTIMA HISTÓRIA (CONTINUAÇÃO). Mais uma vez, o Gato de Cheshire não poderia ter roubado o livro, pela mesma razão que no último problema. Suponhamos que a Duquesa o tenha roubado. Nesse caso, o Gato está mentindo e a Cozinheira está dizendo a verdade — o que contradiz o dado fornecido de que, se a Duquesa cometesse o roubo, os outros dois estariam ambos mentindo, ou ambos dizendo a verdade. Sendo assim, não foi a Duquesa que roubou o livro, mas sim a Cozinheira. (E os outros dois estão ambos mentindo, ou ambos dizendo a verdade; a rigor, estão ambos mentindo. De fato, todos três estão mentindo.)

♛ 12

OITAVA HISTÓRIA. Para começar, o Leirão não poderia ter roubado a manteiga, porque, se tivesse, estaria dizendo a verdade — o que significaria que ele roubou o leite. Logo, o Leirão não roubou a manteiga. Portanto, a Lebre de Março ou o Chapeleiro a roubaram. Se a Lebre de Março houvesse roubado a manteiga, sua afirmação sobre o Chapeleiro seria verdadeira (lembre-se de que quem roubou a manteiga disse a verdade), o que significaria que o Chapeleiro teria roubado a manteiga; mas não é possível que os dois a tenham roubado. Logo, a Lebre de Março não roubou a manteiga. Isso significa que foi o Chapeleiro quem a roubou. Portanto, a declaração dele foi verdadeira, o que equivale a dizer que o Leirão roubou os ovos. E isso significa também que a Lebre de Março roubou o leite.

Portanto, a Lebre de Março roubou o leite, o Chapeleiro roubou a manteiga (e disse a verdade) e o Leirão roubou os ovos (e mentiu).

♛ 13

ÚLTIMA HISTÓRIA. Se o Coelho Branco entendesse um pouco mais de lógica, nunca teria dito que Bill estava certo e que o Valete estava errado, porque é logicamente impossível que Bill estivesse certo e o Valete estivesse errado! Em outras palavras, estou dizendo que, se Bill tivesse razão, o Valete também *teria* que ter razão. Permitam-me demonstrar isso.

Suponhamos que Bill, o Lagarto, tenha razão. Nesse caso, o que ele disse é verdade, o que significa que a Lebre de Março ou o Leirão têm razão (ou, possivelmente, ambos). Suponhamos que a Lebre de Março tenha razão. Nesse caso, a Cozinheira deve ter razão (porque a Lebre de Março disse que a Cozinheira e o Gato de Cheshire tinham razão, todos dois). Por outro lado, se o Leirão tem razão, a Cozinheira também deve ter razão (porque o Leirão afirmou isso). Logo, em qualquer desses casos (se a Lebre de Março ou o Leirão tiverem razão), a Cozinheira deve ter razão. Mas ou a Lebre de Março ou o Leirão tem razão. Portanto, a Cozinheira deve ter razão em qualquer desses casos. Isso prova que a Cozinheira tem razão (presumindo-se, é claro, que o Lagarto tivesse razão, como estamos fazendo). Além disso, a Lebre de Março disse que o Gato de Cheshire (assim como a Cozinheira) tinha razão, e o Leirão disse que a Lagarta (assim como a Cozinheira) tinha razão. Portanto, ou o Gato de Cheshire ou a Lagarta tem razão (porque ou a Lebre de Março ou o Leirão estão certos: se for a primeira, o Gato de Cheshire terá razão; se for o segundo, a Lagarta terá razão). Bem, o Chapeleiro disse que o Gato de Cheshire ou a Lagarta tem razão, de modo que o Chapeleiro está certo. Isso significa que a Cozinheira e o Chapeleiro estão ambos certos — o que é exatamente o que disse o Valete de Copas! Portanto, o Valete de Copas tem razão (também presumindo, é claro, que Bill tenha razão).

Portanto, provamos que se Bill, o Lagarto, tiver razão, o Valete de Copas também deverá ter razão. Logo, o Coelho Branco estava inteiramente enganado ao dizer que Bill estava certo e o Valete estava errado. O Coelho, portanto, estava errado.

Agora, usemos a afirmação de Alice (que é dada como verdadeira), que diz que o Coelho Branco e a Duquesa estão ambos certos ou ambos errados. Os dois não podem estar certos (já que o Coelho não tinha razão), de modo que ambos devem estar errados. Como a Duquesa estava errada, o Grifo deve ter roubado as tortas.

Capítulo 3

♛ 14

A LAGARTA E O LAGARTO. A Lagarta acredita que ela e o Lagarto são loucos. Se a Lagarta fosse sã, seria falso ela e o Lagarto serem loucos, donde (sendo sã) a Lagarta não poderia acreditar nesse fato mentiroso. Portanto, a Lagarta deve ser louca. Já que ela é louca, sua crença é errada, donde não é verdade que *ambos* sejam loucos. Assim, o outro (o Lagarto) deve ser sadio. Portanto, a Lagarta é louca e o Lagarto é são.

♛ 15

A COZINHEIRA E O GATO. Se a Cozinheira fosse louca, seria verdade que pelo menos um dos dois é louco, e teríamos uma pessoa louca sustentando uma crença verdadeira, o que não é possível. Portanto, a Cozinheira deve ser sadia. Visto que ela é sã, sua crença é correta, donde um dos dois é realmente louco. Uma vez que não é a Cozinheira, deve ser o Gato de Cheshire. Portanto, a Cozinheira é sã e o Gato de Cheshire é louco.

♛ 16

O LACAIO-PEIXE E O LACAIO-RÃ. É impossível determinar, pelos dados fornecidos, se o Lacaio-Peixe é são ou louco, mas provaremos que o Lacaio-Rã deve ser são. E vamos prová-lo da seguinte maneira:

Há duas possibilidades: ou o Lacaio-Peixe é são, ou ele é louco. Demonstraremos que, em qualquer desses casos, o Lacaio-Rã deve ser sadio.

Suponhamos que o Lacaio-Peixe seja são. Nesse caso, sua crença é correta, o que significa que o Lacaio-Rã realmente é igual ao Lacaio-Peixe, o que quer dizer que o Lacaio-Rã é são.

Por outro lado, suponhamos que o Lacaio-Peixe seja louco. Nesse caso, sua crença é errada, de modo que o Lacaio-Rã é o oposto do Lacaio-Peixe. Como o Lacaio-Peixe é louco e o Lacaio-Rã é o inverso dele, o Lacaio-Rã deve ser são.

Vemos, portanto, que em qualquer dos casos (quer o Lacaio-Peixe seja são ou louco) o Lacaio-Rã deve ser são.

A propósito, se o Lacaio-Peixe acreditasse que o Lacaio-Rã era o contrário dele, em vez de igual a ele, que faria isso com o Lacaio-Rã?

Resposta: O Lacaio-Rã teria que ser louco. Deixo isto como um exercício para você demonstrar.

♛ 17

O REI E A RAINHA DE OUROS. É impossível que alguém nessa situação acreditasse ser louco, pois uma pessoa sadia saberia da verdade de ser sã, e uma pessoa louca acreditaria erroneamente ser sã. Portanto, a Rainha não acreditava realmente que era louca, de modo que o Rei era louco por acreditar que ela acreditava.

Nada se pode deduzir com respeito à sanidade da Rainha.

♛ 18

QUE TAL ESTES TRÊS? Suponhamos que o Chapeleiro seja são. Nesse caso, sua crença é correta, o que significa que a Lebre de Março não crê que todos três sejam sadios. Portanto, a Lebre de Março deve ser sã, porque, se fosse louca, acreditaria na proposição falsa de que todos três são sadios. Logo, o Leirão, acreditando que a Lebre de Março é sã, deve ser são, o que torna todos três sadios. Mas, se assim fosse, como poderia a sadia Lebre de Março deixar de acreditar na proposição verdadeira de que todos três são sadios? É contraditório, portanto, presumir que o Chapeleiro seja são; na verdade, ele deve ser louco.

Uma vez que o Chapeleiro é louco, sua crença está errada, e portanto, a Lebre de Março acredita que todos três são sadios. É claro que a Lebre de Março está errada (já que o Chapeleiro não é são), donde a Lebre de Março também é louca. Assim, o Leirão, acreditando que a Lebre de Março é sadia, também é louco, de modo que todos três são loucos (o que não chega a ser muito surpreendente!).

♛ 19

E ESTES TRÊS? Para começar, o Grifo e a Falsa Tartaruga devem ser iguais, porque a Falsa Tartaruga acredita que ele é são. Se a Falsa Tartaruga é sadia, sua crença é correta, o que significa que o Grifo também é são. Se a Falsa Tartaruga é louca, sua crença é errada, o que significa que o Grifo não é realmente sadio, mas também é louco. Portanto, os dois são iguais.

Agora demonstrarei que a Lagosta é louca. Bem, suponhamos que ela seja sã. Nesse caso, sua crença é correta, donde o Grifo acredita que exatamente um dos três é são. Mas isso é impossível, porque, se o Grifo é são, a Falsa Tartaruga (assim como a Lagosta) também o é, donde é falso que *exatamente* um deles seja são (todos três são sadios), de modo que o Grifo, sendo são, não poderia acreditar nisso. Por outro lado, se o Grifo é louco, *é* verdade que exatamente um deles é são (ou seja, a Lagosta, já que Falsa Tartaruga também é louca), porém uma criatura louca não pode acreditar numa afirmação verdadeira! Portanto, presumir que a Lagosta é sã leva a uma contradição, de modo que ela não pode ser sã; deve ser louca.

Agora sabemos que a Lagosta é louca. Assim, não é realmente verdade que o Grifo acredite que exatamente um dos três é são. Se o Grifo é louco, a Falsa Tartaruga também o é, o que significa que todos três são loucos, donde é falso que exatamente um deles seja são. Isso significa que o Grifo, sendo louco, deve acreditar em todas as proposições falsas — em particular, na de que exatamente um dos três é são —, mas já provamos que ele não acredita. Isso é uma contradição, donde o Grifo não pode ser louco. Portanto, o Grifo é são e a Falsa Tartaruga (sendo do mesmo tipo que ele) também deve ser sã. Assim, a solução é que a Lagosta é louca e o Grifo e a Falsa Tartaruga são ambos sãos.

♛ 20

E AGORA, QUE TAL ESTES DOIS? A Rainha (de Espadas) acredita que o Rei acredita que ela é louca. Se ela é sadia, o Rei de fato acredita que é louca, o que significa que o Rei deve ser louco. Se ela é louca, o Rei não acredita realmente que ela o seja, mas acreditaria se fosse sadio. Logo, também nesse caso, o Rei é louco. Portanto, em qualquer dos dois casos, o Rei deve ser louco. Quanto à Rainha, ela pode ser qualquer das duas coisas.

♛ 21

O REI E A RAINHA DE PAUS. É impossível que o Rei acredite que a Rainha acredita que o Rei acredita que a Rainha é louca, pois, vamos supor que o Rei realmente acreditasse nisso. Suponhamos que o Rei seja sadio. Nesse caso, a Rainha realmente acredita que o Rei acredita que ela é louca, mas, como vimos no último quebra-cabeça, isso significa que o Rei é louco. Assim, se o Rei for sadio, ele será louco — donde o Rei não pode ser sadio; é louco. Sendo assim, sua crença é falsa, donde a Rainha não acredita realmente que o Rei acredita que ela é louca. Ora, a Rainha é sadia ou é louca. Se for sadia, sua crença será correta, donde é verdade que o Rei não acredita que ela é louca, logo acreditando que é sadia. Nesse caso, o Rei tem razão, e temos a impossibilidade de que um Rei louco acredite numa coisa verdadeira. Por outro lado, se a Rainha é louca, sua crença é errada, de modo que o Rei realmente acredita que ela é louca, o que novamente faz com que o Rei seja são, o que ele não é. Em qualquer dos dois casos, portanto, chegamos a uma contradição.

Isso prova que simplesmente não é possível que o Rei acredite que a Rainha acredita que o Rei acredita que ela é louca. Logo, se a Duquesa dissesse isso a Alice, *ela* é que teria que ser louca! Ocorre, é claro, que ela *não disse* isso a Alice; tudo o que disse foi: "que diria *se* eu lhe dissesse...".

♛ 22

E AGORA, QUE DIZER DA RAINHA DE COPAS? O que demonstramos no último quebra-cabeça se aplicaria tanto ao Rei e à Rainha de Copas quanto ao Rei e à Rainha de Paus: não é possível que o Rei de Copas acredite que a Rainha de Copas acredita que o Rei de Copas acredita que ela é louca. Uma vez que a Rainha de Copas *acredita* que o Rei acredita nisso, ela é louca. Quanto ao Rei, não é possível determinar o que ele é a partir dos dados fornecidos.

♛ 23

O DODÓ, O PAPAGAIO E O AGUIOTO. Uma vez que o Papagaio acredita que o Dodó é louco, o Papagaio e o Dodó são de tipos opostos (se o Papagaio for sadio, o Dodó será realmente louco; se o Papagaio for louco, o Dodó não será realmente louco, e sim sadio). Uma vez que o Aguioto acredita que o Dodó é são, ele é o oposto do Papagaio (que acredita que o Dodó é louco), donde ele é igual ao Dodó. (Alternativamente, seria possível provar que, se o Aguioto é sadio, o Dodó é realmente são, e se o Aguioto é louco, o Dodó não é realmente sadio, mas louco.) Portanto, o Aguioto e o Dodó são iguais, e o Papagaio é o contrário dos dois. Uma vez que o Papagaio é o contrário do Aguioto, ele deve acreditar que o Aguioto é louco. Portanto, a crença do Dodó está certa, de modo que o Dodó é são. Assim, o Dodó e o Aguioto são sadios e o Papagaio é louco.

♛ 24

O VALETE DE COPAS. Provarei que, se Sete é louco, Seis deve ser sadio — e portanto, que o Valete tinha razão ao acreditar que Seis e Sete não são ambos loucos.

Bem, suponhamos que Sete seja louco. Nesse caso, a crença de Sete sobre Cinco está errada, donde Cinco é sadio. Sendo assim, a crença de Cinco é correta, de modo que Um e Quatro são ambos loucos ou ambos sãos. Ora, não é possível que Um e Quatro sejam ambos loucos. (Isso porque, se Quatro fosse louco, sua crença seria errada, o que faria com que Três e Dois fossem ambos loucos; entretanto, o fato de Três ser louco significaria que Um é são, e não louco. Assim, se Quatro for louco, Um deverá ser sadio, de modo que Um e Quatro não poderão ser ambos loucos.) Portanto, Um e Quatro são ambos sãos. Uma vez que Quatro é são, Três e Dois não são ambos loucos — pelo menos um deles é são. Entretanto, Três não pode ser são, porque acredita que Um é louco. Logo, o sadio deve ser Dois. Assim, Um e Dois são ambos sãos. Isso significa que a crença de Seis está certa, logo Seis deve ser sadio.

Demonstramos, portanto, que, se Sete é louco, Seis deve ser sadio. Logo, não é possível que Sete e Seis sejam ambos loucos. Uma vez que o Valete acredita que eles não são ambos loucos, o Valete deve ser são.

♛ 25

A AVALIAÇÃO DO GRIFO. No Problema 15, demonstramos que a Cozinheira é sã. Portanto, se a história da Duquesa estivesse correta, a Cozinheira seria sadia. Mas ocorre que a Duquesa diz a Alice que a Cozinheira acredita que a Duquesa é louca. Isso significaria que a Duquesa deve ser louca (porque a Cozinheira, que é sã, acredita nisso). Portanto, se a história toda da Duquesa fosse verdadeira, ela teria que ser louca, o que significaria que sua história não é verdadeira. Assim, se a história fosse verdadeira, teríamos uma contradição. Logo, a história não é verdadeira.

A propósito, a argumentação acima não pretende provar que a Duquesa é louca; não há razão para acreditar que o seja. Tudo o que fica demonstrado é que, *se* sua história fosse verdadeira, ela teria que ser louca, donde sua história não é verdadeira. Isso significa apenas que a Duquesa não tem razão em *todas* as suas crenças — e não que ela é *incorreta* em todas as suas crenças!

Capítulo 4

♛ 26

QUANTAS? Seja qual for o número de tortas que tem o Leirão, vamos chamar essa quantidade de *uma porção*. Portanto, o Leirão tem uma porção de tortas e a Lebre de Março tem o dobro das tortas do Leirão (logo o Leirão tem metade das tortas da Lebre de Março), de modo que a Lebre de Março tem duas porções. O Chapeleiro tem o triplo das tortas da Lebre de Março, de modo que tem seis porções. Uma vez que o Chapeleiro tem seis porções e o Leirão tem apenas uma, o Chapeleiro tem cinco porções a mais que o Leirão. Além disso, o Chapeleiro tem vinte tortas a mais que o Leirão, de modo que cinco porções de torta são o mesmo que vinte tortas. Isso significa que existem quatro tortas em cada porção. Logo, o Leirão tem quatro tortas, a Lebre de Março tem oito e o Chapeleiro tem vinte e quatro, o que realmente corresponde a vinte tortas além da quantidade possuída pelo Leirão.

♛ 27

VIRANDO A MESA! A Lebre de Março pegou 5/16 das tortas, o que deixou 11/16. Depois, o Leirão pegou 7/11 dessa quantidade — em outras palavras, 7/11 de 11/16. Bem, 7/11 X 11/16 = 7/16, de modo que o Leirão pegou 7/16 de todas as tortas. Como a Lebre de Março pegou 5/16 das tortas, os dois juntos pegaram 7/16 mais 5/16, o que dá 12/16. Isso deixou para o Chapeleiro 4/16, que correspondem a 1/4 das tortas. Ademais, sobraram oito tortas para o Chapeleiro, de modo que oito tortas são 1/4 de todas as tortas. Portanto, havia 32 tortas no total. Ora, 1/16 de 32 são 2 e 5/16 de 32 são 10. Portanto, a Lebre de Março comeu dez tortas. Sobraram 22. Então, o Leirão comeu 7/11 das 22 restantes, o que dá 14 tortas (pois, se 1/11 de 22 são 2, 7/11 têm que ser 14). Sobraram oito tortas para o Chapeleiro, de modo que tudo confere.

♛ 28

QUANTOS FAVORITOS? Esse quebra-cabeça, geralmente resolvido através da álgebra, é extremamente simples, se examinado da seguinte maneira: primeiro, vamos dar três tortas a cada um dos trinta convidados. Com isso, restam dez tortas. Ora, todos os não favoritos receberam todas as tortas que deveriam receber, enquanto cada favorito deveria receber uma a mais. Portanto, as dez tortas restantes são todas para os favoritos — uma para cada um. Logo, deve haver dez favoritos.

Verifiquemos: cada um dos dez favoritos recebe quatro tortas, o que soma quarenta. Cada um dos outros vinte convidados recebe três tortas, o que soma sessenta. Já que quarenta mais sessenta são cem, vemos que nossa solução está certa.

♛ 29

TORTAS GRANDES E TORTAS PEQUENAS. Como cada torta grande equivale a três das pequenas, as sete tortas grandes correspondem a 21 pequenas, logo sete grandes e quatro pequenas equivalem a 25 pequenas. Por outro lado, quatro tortas grandes mais sete pequenas valem o mesmo que 19 tortas pequenas (porque quatro grandes correspondem a 12 pequenas). Logo, a diferença de preço entre 25 tortas pequenas e 19 tortas pequenas é de 12 centavos. Isso significa que seis tortas (seis corresponde a 25 menos 19) custam 12 centavos, de modo que cada torta pequena custa dois centavos, e cada torta grande custa seis centavos.

Verifiquemos: quatro tortas grandes e sete pequenas custariam 24 + 14 = 38 centavos, enquanto sete tortas grandes e quatro pequenas custariam 42 + 8 = 50 centavos, o que realmente corresponde a 12 centavos a mais que 38 centavos.

♛ 30

A VISITA. O Gato de Cheshire deve ter encontrado 2 tortas e comido a metade mais uma, não deixando nenhuma. O Leirão deve ter encontrado 6 tortas, comendo metade mais uma e deixando duas para o Gato de Cheshire. A Lebre de Março encontrou 14, comeu 7 mais uma e deixou 6. O Chapeleiro encontrou 30, comeu 15 mais uma e deixou 14. Portanto, no começo havia 30 tortas.

♛ 31

QUANTOS DIAS ELE TRABALHOU? O número máximo de tortas que o jardineiro pode ganhar são 78 (3 X 26). Ele ganhou apenas 62 tortas, donde perdeu 16 por ficar parado. Ora, cada dia parado significa uma perda de 4 tortas (a soma entre não receber 3 e ter que dar 1). Portanto, ele ficou parado 4 dias e trabalhou 22.

Façamos a verificação: pelos 22 dias trabalhados, ele ganhou 66 tortas. Pelos 4 dias em que não trabalhou, teve que devolver 4 tortas, de modo que recebeu apenas 62.

♛ 32

QUE HORAS ERAM? Uma resposta errada comum é "seis horas"; a resposta certa é "cinco horas".

Às cinco horas, a primeira badalada do carrilhão da Rainha coincidiu com a primeira do carrilhão do Rei. A segunda badalada do carrilhão da Rainha ocorreu no mesmo instante da terceira badalada do carrilhão do Rei. A terceira badalada do carrilhão da Rainha ocorreu na quinta badalada do carrilhão do Rei. Então, o carrilhão do Rei parou de tocar, enquanto o da Rainha ainda teve que dar mais duas badaladas.

♛ 33

QUANTOS ESTAVAM PERDIDOS? Chamemos a quantidade de alimento que cada homem come por dia de uma porção. Originalmente, portanto, os 9 homens tinham 45 porções de comida (o suficiente para cinco dias), mas, no segundo dia, sobravam-lhes apenas 36 porções. Então, eles encontraram o segundo grupo e as 36 porções duraram 3 dias para todos os homens. Logo, devia haver 12 homens, donde o novo grupo compunha-se de 3 homens.

♛ 34

QUANTA ÁGUA FOI DERRAMADA? No quinto dia, antes de a água ser derramada, restava uma provisão de água para oito dias. A água derramada teria abastecido o homem que morreu por oito dias, portanto, foram derramados oito quartos de galão.

♛ 35

QUANDO ELE SAIRÁ DA PRISÃO? Quando o carcereiro tiver o dobro da idade do presidiário, a diferença de idade entre eles corresponderá à idade do prisioneiro. Além disso, a diferença entre suas idades será a mesma de agora, isto é, 29 anos. Quando o prisioneiro tiver 29 anos, o carcereiro terá o dobro (58 anos). Portanto, o prisioneiro terá que esperar 4 anos.

♛ 36

QUANTO TEMPO PARA SAIR? A resposta não é "30 dias". O sapo poderia sair na noite do 28º dia. Na manhã do segundo dia, ele estará um pé acima do fundo; na manhã do terceiro, estará 2 pés acima do fundo, e assim sucessivamente, até a manhã do 28º dia, quando estará 27 pés acima do fundo. Na noite desse dia, ele terá chegado ao topo e, portanto, não terá que escorregar outra vez.

♛ 37

ELE PEGOU O TREM? O ciclista cometeu o erro de tirar a média das distâncias, em vez dos intervalos de tempo! Se ele gastasse o mesmo tempo à velocidade de quatro milhas por hora, oito milhas por hora e doze milhas por hora, de fato teria uma média de oito milhas por hora, mas ele gastou a maior parte do tempo pedalando em aclive e a menor parte do tempo descendo a colina.

É fácil calcular quanto tempo levou sua viagem: ele gastou uma hora subindo, meia hora — ou 30 minutos — pedalando em terreno plano e 1/3 de hora — ou 20 minutos — na descida. Isso soma 1 hora e 50 minutos, de modo que ele perdeu o trem por 20 minutos.

♛ 38

QUE TAL ESTE? Quando o homem chegou à primeira estação, o trem partira um minuto antes. Dez milhas por hora equivalem a uma milha a cada 6 minutos, ou 1,5 milha em 9 minutos. Portanto, o trem chegou à segunda estação 8 minutos depois de o homem chegar à primeira. O trem ficaria 14,5 minutos na segunda estação, de modo que o homem tinha 22,5 minutos para apanhá-lo na segunda estação. Quatro milhas por hora equivalem a uma milha a cada 15 minutos, ou 1,5 milha em 22,5 minutos, de modo que o homem alcançou o trem bem na horinha.

♛ 39

A QUE DISTÂNCIA FICA A ESCOLA? A diferença entre chegar 5 minutos atrasado e chegar 10 minutos adiantado é de 15 minutos. Portanto, o menino economizará 15 minutos se andar a 5 milhas por hora, em vez de 4 milhas por hora. Bem, 5 milhas por hora equivalem a uma milha a cada 12 minutos, e 4 milhas por hora equivalem a uma milha a cada 15 minutos, de modo que, andando mais depressa, ele economiza 3 minutos por milha, o que corresponde a 15 minutos em 5 milhas. Portanto, a escola fica a 5 milhas de distância.

Vamos verificar: se ele andar a 5 milhas por hora, levará uma hora. Se andar a 4 milhas por hora, levará 1 hora e 15 minutos (uma hora para as primeiras 4 milhas e 15 minutos na última milha), o que equivale a 1 hora e 15 minutos. Portanto, há realmente uma diferença de 15 minutos.

♛ 40

ESSA HISTÓRIA É TRISTE? Sim, de certo modo, ela é meio triste, porque o marchand cometeu um erro de cálculo: ele não ficou sem lucro e sem prejuízo, mas perdeu 20 dólares nesse dia.

Vejamos por quê: consideremos, primeiro, o quadro que ele vendeu com um lucro de 10%. Ele recebeu 990 dólares pelo quadro; quanto pagou por ele? Ora, o lucro não corresponde a 10% de 990 dólares, mas a 10% do valor que ele pagou. Logo, 990 dólares são 110% — ou 11/10 — do que ele pagou. Isso significa que ele pagou 10/11 de 990 dólares, que correspondem a 900 dólares. Isso está certo, porque ele pagou 900 dólares, ganhou 10% sobre esse valor, que são 90 dólares, e recebeu 990. Logo, ele ganhou 90 dólares no primeiro quadro.

Consideremos agora o segundo quadro: ele perdeu 10% do que havia pago, de modo que o vendou por 90% — ou 9/10 — do que pagou. Portanto, ele pagou 10/9 de 990 dólares, que correspondem a 1.100 dólares. Isso está certo? Está, porque ele pagou 1.100 dólares e 10% de 1.100 dólares são 110 dólares, significando que ele o vendeu por 1.100 menos 110, o que dá 990 dólares.

Portanto, ele perdeu 110 dólares no segundo quadro e ganhou apenas 90 no primeiro, de modo que seu prejuízo líquido foi de 20 dólares.

♛ 41

QUEM É O MAIS VELHO? Primeiro, temos que determinar quantos dias os dois relógios levarão para ficar juntos novamente. Como o relógio da Lebre de Março atrasa no mesmo ritmo em que o do Chapeleiro adianta, a próxima vez em que os dois estarão juntos será quando o relógio do Chapeleiro houver adiantado seis horas e o relógio da Lebre de Março houver atrasado seis horas. (Nesse momento, os dois relógios indicarão seis horas e, é claro, ambos estarão errados.) Ora, quantos dias levará o relógio do Chapeleiro para adiantar seis horas? Bem, adiantar 10 segundos por hora equivale a um minuto a cada seis horas, ou 4 minutos por dia, o que dá uma hora em 15 dias, ou 6 horas em 90 dias. Em 90 dias, portanto, os dois relógios voltarão a estar juntos.

Ora, não nos é dito em que dia de janeiro os dois relógios foram acertados. Se fosse qualquer outro dia que não 1º de janeiro, uma data 90 dias depois não poderia cair em março; teria que cair em abril (ou, possivelmente, em maio). Portanto, os relógios devem ter sido acertados em 1º de janeiro. Mesmo assim, entretanto, uma data 90 dias depois não poderia cair em nenhum dia de março, a menos que se tratasse de um ano bissexto! (O leitor pode verificar isso num calendário. Noventa dias depois de 1º de janeiro é o dia 1º de abril, nos anos comuns, e 31 de março, nos anos bissextos.) Isso prova que o 21º aniversário da Lebre de Março cairá num ano bissexto, donde ela deve ter nascido em 1843, e não em 1842 ou 1844. (Vinte e um anos depois de 1843 correspondem a 1864, que é um ano bissexto.) Somos informados de que um dos dois nasceu em 1842, portanto, foi o Chapeleiro que nasceu em 1842. Logo, o Chapeleiro é mais velho do que a Lebre de Março.

Capítulo 5

♛ 42

ENTRA O PRIMEIRO ESPIÃO. C certamente não pode ser cavaleiro, porque nenhum cavaleiro mentiria, dizendo ser espião. Logo, ou C é um valete, ou é o espião. Suponhamos que C seja o espião. Nesse caso, a afirmação de A é falsa, o que faz de A um valete (ele não pode ser o espião, porque C o é). Isso deixa B como cavaleiro, mas, como poderia ele, sendo cavaleiro, fazer a afirmação falsa de que A é o cavaleiro? Logo, é impossível que C seja o espião. Portanto, C é o valete. Nesse caso, a afirmação de B é falsa, o que significa que ele é um valete ou é o espião; mas C é o valete, de modo que B deve ser o espião. Isso deixa A como o cavaleiro. Portanto, A é o cavaleiro, B é o espião e C é o valete.

♛ 43

O CASO DO ESPIÃO ATRAPALHADO. A afirmação falsa que o condenaria seria "Eu sou um valete." Um cavaleiro nunca poderia mentir e afirmar que era um valete, e um valete não diria a verdade, dizendo ser um valete. Somente o espião poderia dizer que é valete.

♛ 44

OUTRO ESPIÃO ATRAPALHADO. A afirmação verdadeira que o condenaria seria "Eu não sou cavaleiro." Novamente, nem um cavaleiro nem um valete poderiam dizer isso, porque um cavaleiro não mentiria, dizendo não ser cavaleiro, e um valete não diria a verdade, dizendo não ser cavaleiro. Somente o espião poderia dizer isso.

♛ 45

O CASO DO ESPIÃO MATREIRO. Se A respondesse "sim", ele seria condenado, porque o tribunal raciocinaria da seguinte maneira:

"Suponhamos que B seja o espião. Nesse caso, todos três estão dizendo a verdade, o que é impossível, já que um deles é valete. Portanto, B não pode ser o espião. Assim, sua afirmação foi falsa, de modo que B é o valete. A afirmação de C foi falsa e, já que C não é o valete, ele é o espião."

Portanto, se C respondesse "sim", o tribunal saberia que era ele o espião. Logo, matreiramente, C respondeu "não", e o tribunal não soube dizer se ele era ou não o espião. (Tanto quanto sabia o tribunal, ele poderia ser o cavaleiro e B o espião, ou poderia ser o valete e A o espião, ou poderia ser o espião.)

♛ 46

QUEM É MURDOCH? Uma vez que A diz ser o espião, ou ele é um valete ou é o espião. C também diz ser o espião, de modo que também ele é valete ou é espião. Portanto, entre A e C, um é valete e o outro é espião. Logo, B é o cavaleiro, donde sua afirmação é verdadeira; sendo assim, A deve ser o espião.

♛ 47

A VOLTA DE MURDOCH. Se A é Murdoch, todas as três afirmações são verdadeiras, o que é impossível, já que um deles é valete. Se C é Murdoch, todas as três afirmações são falsas, o que também é impossível, já que um dos três é cavaleiro. Logo, B deve ser Murdoch.

♛ 48

UM CASO MAIS INTERESSANTE. Se não nos tivessem dito que, depois da acusação de C, o juiz ficou sabendo quem era o espião, não conseguiríamos resolver esse problema. Mas *somos* informados de que o juiz soube, e essa é a pista vital!

Suponhamos que C houvesse acusado A. Nesse caso, o juiz não teria sabido quem era o espião, porque seria possível que A fosse o espião, B o valete e C o cavaleiro, ou que B fosse o espião, A o cavaleiro e C o valete, ou ainda que C fosse o espião, A o valete e B o cavaleiro. Portanto, se C houvesse acusado A, o juiz não teria feito nenhuma condenação.

Ora, vejamos o que aconteceria se C acusasse B. Isso significa que A e C teriam ambos acusado B. Suas acusações seriam ambas verdadeiras ou ambas falsas. Se fossem verdadeiras, B seria realmente o espião e, dado que as acusações são verdadeiras, A e C teriam que ser cavaleiros (nenhum dos dois poderia ser espião, já que B o seria), e não é possível haver dois cavaleiros. Portanto, suas acusações foram falsas, o que significa que B não é o espião. Seria A o espião? Não, porque, se fosse, B e C teriam ambos mentido, acusando um ao outro, e isso faria os dois serem valetes, o que não é possível. Portanto, a única possibilidade é que C seja o espião (e B, tendo acusado C, seja o cavaleiro, enquanto A, tendo acusado B, seja o valete).

Em suma, se C acusasse A, o juiz não poderia fazer nenhuma condenação, mas, se C acusasse B, o juiz saberia que C era o espião. Uma vez que o juiz *soube*, deve ter sido C quem acusou B, e o juiz condenou C.

♛ 49

UM CASO AINDA MAIS INTERESSANTE. Não sabemos o que A e B responderam. Há quatro casos possíveis a considerar: (1) A e B disseram "sim"; (2) A disse "não" e B disse "sim"; (3) A disse "sim" e B disse "não"; (4) os dois disseram "não".

Esses casos tornarão a aparecer nos próximos dois problemas, de modo que vamos analisá-los agora com cuidado.

Caso 1. Os dois disseram "sim": Já que A diz ser o espião, ou ele é o valete ou é o espião (porque um cavaleiro nunca afirmaria ser espião). Se A é o valete, ele mentiu, donde B mentiu ao dizer que A disse a verdade; portanto, B não é o cavaleiro, e já que A é o valete, B é o espião. Isso significa que C deve ser o cavaleiro. Daí se conclui que, se A é o valete, B é o espião e C é o cavaleiro.

Suponhamos que A seja o espião. Nesse caso, ele respondeu dizendo a verdade; logo, B disse a verdade ao afirmar que A havia respondido a verdade; portanto, B deve ser o cavaleiro. Isso faz de C o valete. Daí se conclui que, se A é o espião, B é o cavaleiro e C é o valete. Anotemos essas duas possibilidades (que chamaremos de 1a e 1b) do Caso 1:

	A	B	C
1a	VALETE	ESPIÃO	CAVALEIRO
1b	ESPIÃO	CAVALEIRO	VALETE

Caso 2. A disse "não" e B disse "sim": Uma vez que A nega ser o espião, ou é o cavaleiro ou é o espião. (Um valete mentiria e diria ser o espião.) Se A é o cavaleiro, ele disse a verdade, donde B também disse a verdade, ao afirmar que A disse a verdade; assim, B não pode ser o valete, de modo que deve ser o espião. Isso faz de C o valete.

Se A é o espião, ele mentiu, donde B também mentiu ao afirmar que A disse a verdade, o que faz de B o valete; logo, C deve ser o cavaleiro. Portanto, são as seguintes as duas possibilidades — 2a e 2b — do Caso 2:

	A	B	C
2a	CAVALEIRO	ESPIÃO	VALETE
2b	ESPIÃO	VALETE	CAVALEIRO

Caso 3. A disse "sim" e B disse "não": Uma vez que A diz ser o espião, ele deve (como no Caso 1) ser o valete ou o espião. Se é o valete, ele mentiu; logo, B disse a verdade, portanto, ou B é o cavaleiro (e C o espião), ou B é o espião (e C o cavaleiro). Se A é o espião, ele disse a verdade, donde B mentiu, o que significa que B é o valete e C é o cavaleiro. Portanto, temos três possibilidades:

	A	B	C
3a	VALETE	CAVALEIRO	ESPIÃO
3b	VALETE	ESPIÃO	CAVALEIRO
3c	ESPIÃO	VALETE	CAVALEIRO

Caso 4. Os dois disseram "não": Uma vez que A negou ser o espião, ele deve (como no Caso 2) ser o cavaleiro ou o espião. Suponhamos que seja o cavaleiro. Nesse caso, ele disse a verdade. Logo, B mentiu, donde ou ele é o valete (e C o espião), ou é o espião (e C o valete). Suponhamos que A seja o espião. Nesse caso, ele mentiu; logo, B disse a verdade, o que significa que B é o cavaleiro (e C é o valete). Mais uma vez, portanto, temos três possibilidades:

	A	B	C
4a	CAVALEIRO	VALETE	ESPIÃO
4b	CAVALEIRO	ESPIÃO	VALETE
4c	ESPIÃO	CAVALEIRO	VALETE

Para facilitar a consulta, vamos anotar todos os quatro casos na tabela abaixo:

TABELA 1

Caso 1. Ambos disseram "sim"

	A	B	C
1a	VALETE	ESPIÃO	CAVALEIRO
1b	ESPIÃO	CAVALEIRO	VALETE

Caso 2. A disse "não" e B disse "sim"

	A	B	C
2a	CAVALEIRO	ESPIÃO	VALETE
2b	ESPIÃO	VALETE	CAVALEIRO

Caso 3. A disse "sim" e B disse "não"

	A	B	C
3a	VALETE	CAVALEIRO	ESPIÃO
3b	VALETE	ESPIÃO	CAVALEIRO
3c	ESPIÃO	VALETE	CAVALEIRO

Caso 4. Os dois disseram "não"

	A	B	C
4a	CAVALEIRO	VALETE	ESPIÃO
4b	CAVALEIRO	ESPIÃO	VALETE
4c	ESPIÃO	CAVALEIRO	VALETE

Pois bem, somos informados de que, depois de A e B responderem às perguntas do juiz, este soube que C não era o espião. Se o ocorrido fosse o Caso 3, o juiz não poderia saber se C era espião ou cavaleiro. Se ocorresse o Caso 4, o juiz não poderia saber se C era espião ou valete. Mas o juiz *soube* que C não era o espião. Portanto, os Casos 3 e 4 estão excluídos, e o que se deu foi o Caso 1 ou o Caso 2.

Ora, o juiz sabe que A disse a verdade ao afirmar que C não era o espião, portanto, ele sabe que A deve ser o cavaleiro ou o espião. Se fosse aplicável o Caso 2, o juiz não poderia saber se A era o cavaleiro ou o espião, e assim, não poderia saber quem era o espião. Portanto, o que se aplica é o Caso 1, e o juiz soube que A não podia ser valete (já que tinha feito uma afirmação verdadeira), donde A devia ser o espião.

♛ 50

UM CASO IGUALMENTE INTERESSANTE. Uma vez que foram feitas a A e B as mesmas perguntas do último problema, podemos usar a mesma Tabela 1.

Consideremos o momento do julgamento antes de o juiz perguntar a C se ele era o espião. A essa altura, o juiz não podia afirmar sobre nenhum dos três que ele decididamente não era o espião, caso contrário, tê-lo-ia inocentado. Isso exclui os Casos 1 e 2, porque em qualquer deles o juiz teria sabido que C era cavaleiro ou valete, e o teria inocentado. Portanto, deve tratar-se dos Casos 3 ou 4.

Examinemos agora o raciocínio do juiz depois que C respondeu. Suponhamos que tenha ocorrido o Caso 3. Nesse caso, o juiz saberia que C era o espião ou o cavaleiro. Se C respondesse "não", o juiz não ficaria sabendo mais do que antes e não poderia condenar ninguém. Se C respondesse "sim", o juiz saberia que ele era o espião, porque um cavaleiro não poderia dizer-se espião. Portanto, se o que ocorreu foi o Caso 3, o condenado deve ter sido C.

Suponhamos que tenha ocorrido o Caso 4. Nessa situação, o juiz saberia que C era o espião ou o valete. Se C respondesse "sim", o juiz não teria podido fazer nenhuma condenação (porque um valete ou um espião poderiam dizer-se espiões). Se C respondesse "não", o juiz saberia que C era o espião, porque um valete não poderia fazer a afirmação verdadeira de que não era espião. Portanto, no Caso 4, C também seria o condenado.

Talvez convenha assinalar que é impossível você ou eu sabermos se o caso realmente ocorrido foi o 3 ou o 4, assim como não nos é possível saber que resposta foi dada por C. Tudo o que sabemos é que, já que o juiz fez uma condenação, ou o que ocorreu foi o Caso 3, e C respondeu "sim", ou o que ocorreu foi o Caso 4, e C respondeu "não", e sabemos que, em qualquer desses casos, C foi condenado. Sabemos, portanto, que C era o espião.

♛ 51

O CASO MAIS INTERESSANTE DE TODOS. Usaremos a mesma tabela empregada na resolução dos dois últimos problemas (Tabela 1).

Passo 1: Depois de B responder à pergunta do juiz, este inocentou um dos réus. Se o ocorrido fosse o Caso 3 ou o Caso 4, qualquer dos três réus poderia ser o espião e o juiz não teria podido inocentar ninguém. Logo, o que ocorreu deve ter sido o Caso 1 ou o Caso 2, e em ambas as hipóteses, C não poderia ser o espião, mas qualquer um dos outros dois poderia. Logo, foi C o inocentado. Portanto, sabemos que C foi inocentado e que ocorreu o Caso 1 ou o Caso 2, e podemos esquecer por completo os Casos 3 e 4.

Depois que C deixou o tribunal, o juiz perguntou a A ou a B (não sabemos qual) se o outro era espião, e recebeu a resposta "sim" ou "não", mas também não sabemos qual delas. Portanto, existem quatro possibilidades no Caso 1 e quatro possibilidades no Caso 2, somando ao todo oito possibilidades. Vamos agora eliminar metade delas, usando o fato conhecido de que o juiz, depois de ouvir a resposta, fez uma condenação.

Convenhamos que se trate do Caso 1. Suponhamos que a pergunta tenha sido feita a A. Se ele respondesse "sim" (afirmando que B era o espião), o juiz poderia eliminar 1a, porque, se A fosse o valete e B fosse o espião, A não poderia ter dito a verdade, afirmando ser B o espião. Logo, o juiz teria eliminado 1a e sabido que 1b seria aplicável e que A seria o espião. Se A respondesse "não", o juiz não teria feito nenhuma condenação, pois seria possível que A fosse o valete, mentindo ao dizer que B não era o espião, ou que A fosse o espião, dizendo a verdade ao afirmar que B não era o espião. Portanto, não é possível que A tenha respondido "não". Logo, se a pergunta foi formulada a A, ele respondeu "sim" e foi condenado. Agora, suponhamos que tenha sido a B que se perguntou se A era o espião. Se B respondesse "sim", o juiz não poderia condenar ninguém (como o leitor poderá perceber, examinando as possibilidades 1a e 1b e verificando que B poderia responder "sim" em qualquer desses casos); entretanto, se B respondesse "não", o juiz saberia que B devia ser o espião (porque 1b estaria excluída, já que significaria que B, um cavaleiro, teria negado que A [espião] era espião). Logo, B deve ter respondido "não", sendo então condenado. Isso conclui nossa análise do Caso 1.

O Caso 2 pode ser analisado de maneira semelhante, e deixamos ao leitor a tarefa de completar os detalhes. Suponhamos que tenha ocorrido o Caso 2. Se a pergunta foi feita a A, ele deve ter respondido "não", para que o juiz pudesse fazer uma condenação, e A foi condenado. Se a pergunta foi feita a B, ele deve ter respondido "sim", para que o juiz pudesse fazer uma condenação, e B foi condenado. Deixamos a verificação desses fatos a cargo do leitor (pois, como eu disse, ela não é muito diferente do raciocínio do Caso 1).

Vamos resumir o que sabemos até agora:

Se o ocorrido tiver sido o Caso 1, ou a terceira pergunta foi feita a A, recebeu a resposta "sim" e A revelou-se o espião, ou a terceira pergunta foi formulada a B, que respondeu "não" e se revelou o espião.

Se o ocorrido tiver sido o Caso 2, ou a terceira pergunta foi feita a A, que respondeu "não" e se revelou o espião, ou a terceira pergunta foi feita a B, que respondeu "sim" e se revelou o espião.

Temos, portanto, as quatro possibilidades seguintes:

Caso	As três respostas			Espião
	1ª	2ª	3ª	
1a	Sim	Sim	Sim	A
1b	Sim	Sim	Não	B
2a	Não	Sim	Não	A
2b	Não	Sim	Sim	B

Passo 2: Só podemos chegar até esse ponto, sem a informação adicional sobre os dois amigos do Sr. Antônio. Somos informados de que ou os dois solucionaram o caso, ou nenhum deles conseguiu; vamos provar que é impossível que os dois tenham resolvido o problema.

Consideremos o primeiro amigo: se o Sr. Antônio lhe desse uma resposta afirmativa, o amigo saberia que o caso aplicável deveria ser o Caso 1a e que A era o espião; se o Sr. Antônio desse uma resposta negativa, o amigo não conseguiria saber qual o caso aplicável, se o 1b, o 2a ou o 2b, e não teria como saber se A ou B era o espião. Logo, a única maneira de o primeiro amigo poder solucionar o problema seria o Sr. Antônio responder afirmativamente, sendo aplicável o Caso 1a.

Quanto ao segundo amigo, se o Sr. Antônio lhe desse uma resposta afirmativa, o amigo saberia que devia tratar-se do Caso 2a e que o espião era A, mas, se o Sr. Antônio lhe desse uma resposta negativa, o segundo amigo não poderia resolver o problema. Portanto, a única maneira de o segundo amigo resolver o problema seria o Caso 2 ser aplicável e o sr. Antônio dar uma resposta afirmativa. Ora, não é possível que o Caso 1a e o Caso 2a sejam ambos aplicáveis, donde o Sr. Antônio não poderia ter dado uma resposta afirmativa a seus dois amigos, e, assim, é impossível que ambos conseguissem resolver o problema. Portanto, nenhum dos dois amigos resolveu o problema (já que nos é dito que ou ambos resolveram ou ambos falharam), e o Sr. Antônio não respondeu a nenhuma das perguntas afirmativamente. Isso exclui os Casos 1a e 2a, de modo que B deve ser o espião.

Capítulo 6

 52

A PRIMEIRA PERGUNTA. Alice cometeu o erro de escrever onze milhares, onze centenas e onze como 11.111, o que está errado! 11.111 são onze mil, *uma* centena e onze! Para ver a maneira correta de escrever onze milhares, onze centenas e onze, some-os assim:

$$11.000$$
$$1.100$$
$$11$$
$$12.111$$

Portanto, onze milhares, onze centenas e onze são 12.111, número exatamente divisível por 3.

♕ 53

OUTRA DIVISÃO. Um milhão *multiplicado* por um quarto corresponde a 1/4 de milhão, mas um milhão *dividido* por um quarto é o número de quartos necessários para perfazer um milhão, isto é, quatro milhões. Portanto, quatro milhões é a resposta correta à pergunta da Rainha.

♕ 54

QUANTO? Uma resposta errada comum é "quatro xelins". Se a garrafa custasse realmente quatro xelins, o vinho, valendo 26 xelins mais do que ela, custaria 30 xelins, donde a garrafa e o vinho, juntos, custariam 34 xelins.

A resposta correta é: a garrafa custa 2 xelins e o vinho custa 28.

♕ 55

ACORDADA OU DORMINDO? Se o Rei Vermelho estivesse acordado naquela hora, não poderia ter tido a crença falsa em que ele e a Rainha Vermelha estavam dormindo. Logo, ele estava dormindo. Isso significa que sua crença era falsa, donde não é verdade que os dois estivessem dormindo. Portanto, a Rainha Vermelha estava acordada.

♕ 56

ACORDADO OU DORMINDO? O Rei Vermelho estava acordado ou dormindo na ocasião. Suponhamos que estivesse acordado. Nesse caso, sua crença era correta, o que significa que a Rainha Vermelha estava dormindo. Sendo assim, a crença dela era incorreta, de modo que ela acreditou que ele estava dormindo. Por outro lado, suponhamos que ele estivesse dormindo na ocasião. Nesse caso, sua crença estaria errada, de modo que a Rainha Vermelha estaria acordada. Portanto, a crença dela estaria correta, ao acreditar que ele estava dormindo. Assim, independentemente de o rei estar acordado ou dormindo, a rainha deve ter acreditado que ele estava dormindo.

♛ 57

QUANTOS CHOCALHOS? Se Tweedledum perder, ficará com metade do número total de chocalhos (o que é o mesmo que ter uma quantidade igual à de Tweedledee), logo, neste momento ele tem um além da metade do total. Se ele vencer a aposta, ficará com dois além da metade do total. Além disso, terá 2/3 do total (o que é o mesmo que ter o dobro dos de Tweedledee), ou 1/6 do total além da metade do total (porque a diferença entre 1/2 e 1/3 é 1/6). Portanto, 1/6 do total além da metade do total é o mesmo que dois além da metade do total, donde dois chocalhos são a mesma coisa que metade do total. Assim, o número total de chocalhos é 12, de modo que Tweedledum tem sete e Tweedledee tem cinco.

Verifiquemos: se Tweedledum perder, cada um ficará com seis; se Tweedledum ganhar, ele ficará com oito e Tweedledee terá quatro, de modo que ele terá o dobro dos chocalhos de Tweedledee.

♛ 58

QUANTOS IRMÃOS E IRMÃS? Há quatro meninos e três meninas na família. Tony tem três irmãos e três irmãs; Alice tem quatro irmãos e duas irmãs.

♛ 59

QUANTAS ESTAVAM ERRADAS? Exatamente três certas é a mesma coisa que exatamente uma errada, de modo que a escolha é entre exatamente três certas e exatamente duas certas. Ora, é impossível acertar exatamente três, porque, se três estivessem certas, a quarta também teria que estar! Logo, ela colocou exatamente duas no lugar certo.

♛ 60

QUANTAS TERRAS? Uma resposta errada comum é "11 acres". Se realmente houvesse 11 acres, o arrecadador de impostos teria tomado 1 1/10 acre (que corresponde a 1/10 de 11 acres), o que teria deixado o fazendeiro com 9 9/10 acres, e não com 10, donde 11 acres não pode ser a resposta certa.

Como descobrir a resposta certa? Bem, considere a questão da seguinte maneira: depois de retirado 1/10 das terras do fazendeiro, ele ficou com 9/10. Logo, 9/10 da área original são 10 acres. Isso significa que, se multiplicarmos o número de acres da terra original por 9/10, chegaremos à área atual — 10 acres. Logo, para voltar da área atual para a área original, devemos *dividi-la* por 9/10! Ora, dividir por 9/10 é o mesmo que multiplicar por 10/9, portanto, multiplicamos 10 por 10/9, chegando a 100/9, o que corresponde a 11 1/9 acres.

Isso confere? Vamos ver: a área original tem 11 1/9 acres. Um décimo de 11 1/9 é 1 1/9, de modo que, retirada essa área, restam exatamente 10 acres.

♛ 61

OUTRO PROBLEMA DE ACRES. Reduzindo tudo a sessenta avos, 1/3 + 1/4 + 1/5 = 20/60 + 15/60 + 12/60 = 47/60. Isso deixa 13/60 para o cultivo do milho. Portanto, 13/60 da área correspondem a 26 acres e, já que 13 é a metade de 26, 60 devem ser a metade do número total de acres. Portanto, existem 120 acres de terra.

Vamos verificar: 1/3 de 120 são 40, que ficam reservados às abóboras; 1/4 de 120 são 30, que ficam para as ervilhas; e 1/5 de 120 são 24, que são cultivados com vagens. Ora, 40 + 30 + 24 = 94, o que deixa 26 acres para o milho.

♛ 62

O CARRILHÃO BATE DOZE HORAS. Entre a primeira e a sexta badaladas há cinco intervalos de tempo, e são necessários 30 segundos para cobrir esses cinco intervalos; logo, o intervalo entre duas badaladas consecutivas é de 6 segundos (e não cinco, como concluem erroneamente algumas pessoas!). Ora, entre a primeira e a décima segunda badaladas há onze intervalos de tempo, portanto, o relógio levará 66 segundos.

♛ 63

A DÉCIMA SEGUNDA PERGUNTA. Suponhamos que Alice respondesse "sim". Nesse caso, a Rainha poderia reprová-la ou aprová-la, como lhe aprouvesse. Se a reprovasse e Alice perguntasse por quê, a Rainha poderia dizer: "Você errou a última pergunta; afinal, disse que passaria e não passou; e, já que errou a última pergunta, você tem que ser reprovada!" Por outro lado, a Rainha poderia igualmente aprová-la e dizer: "Você previu que passaria e, já que passou, previu corretamente; portanto, respondeu com acerto à última pergunta, e é por isso que está sendo aprovada." (É claro que ambos os raciocínios são circulares, mas nenhum deles é pior do que o outro!)

Por outro lado, se Alice respondesse "não", a Rainha não poderia aprová-la nem reprová-la. Se a aprovasse, Alice não teria previsto corretamente e, tendo dado a resposta errada, com toda razão deveria ser reprovada! Se a Rainha a reprovasse, Alice teria previsto corretamente e, havendo dado a resposta certa, deveria ser aprovada! Portanto, a Rainha não poderia aprová-la nem reprová-la.

Como eu disse, Alice estava mais interessada em não ser reprovada do que em passar; assim, respondeu "não", e isso, de fato, deixou a Rainha completamente embatucada.

Capítulo 7

♛ 64

PRIMEIRA RODADA. Se o falante estivesse dizendo a verdade, ele seria Tweedledum e estaria carregando uma carta preta, mas não poderia estar dizendo a verdade e também segurando uma carta preta. Portanto, devia estar mentindo. Isso significa que sua carta era realmente preta e, já que sua afirmação era falsa, ele não era de fato Tweedledum com uma carta preta, mas sim Tweedledee com uma carta preta.

♛ 65

SEGUNDA RODADA. O falante afirma que não é Tweedledum carregando uma carta vermelha. Sua afirmação deve ser verdadeira, pois, se ele fosse Tweedledum carregando uma carta vermelha, não poderia, sendo vermelha a sua carta, mentir e dizer que não era Tweedledum segurando uma carta vermelha. Logo, é verdade que ele não é Tweedledum carregando uma carta vermelha. Uma vez que sua afirmação é verdadeira, ele deve mesmo estar com uma carta vermelha. Mas, como sua afirmação é verdadeira, ele não é Tweedledum carregando uma carta vermelha, donde deve ser Tweedledee segurando uma carta vermelha.

♛ 66

TERCEIRA RODADA. *Ou... ou* significa *pelo menos um* (e, possivelmente, as duas coisas); logo, se ele estivesse carregando uma carta preta, seria verdade que *ou* ele seria Tweedledum *ou* estaria com uma carta preta, o que equivaleria a dizer que o portador de uma carta preta estaria fazendo uma afirmação verdadeira. Isso é impossível, portanto, sua carta não pode ser preta. Uma vez que a carta é vermelha, sua afirmação é verdadeira, o que significa que *ou* ele é Tweedledum *ou* sua carta é preta. Uma vez que a segunda alternativa está descartada, ele deve ser Tweedledum. Logo, trata-se de Tweedledum carregando uma carta vermelha.

♛ 67

QUARTA RODADA. Desta vez, não se pode determinar se ele está segurando uma carta preta ou vermelha, mas, em qualquer dos casos, deve ser Tweedledee. Suponhamos que sua carta seja vermelha. Nesse caso, ele está dizendo a verdade, de modo que ou é Tweedledum carregando uma carta preta, ou é Tweedledee carregando uma carta vermelha. Não pode ser o primeiro (já que sua carta é vermelha), donde deve ser o segundo; portanto, ele é Tweedledee.

Por outro lado, suponhamos que a carta seja preta. Nesse caso, sua afirmação é falsa, o que significa que ele nem é Tweedledum com uma carta preta nem Tweedledee com uma carta vermelha. Logo, ele é tanto Tweedledum com vermelho como Tweedledee com preto. A primeira alternativa não e possível (já que sua carta é preta), donde a que se aplica é a segunda — o que significa, mais uma vez, que ele é Tweedledee.

♛ 68

QUINTA RODADA. Suponhamos que o falante esteja com uma carta vermelha. Nesse caso, sua afirmação é verdadeira, o que significa que Tweedledum está segurando uma carta preta; portanto, o falante deve ser Tweedledee. Suponhamos que o falante esteja carregando uma carta preta. Nesse caso, sua afirmação é falsa. Portanto, Tweedledum não está segurando uma carta preta. Mas o falante está carregando uma carta preta, donde não pode ser Tweedledum — novamente, deve ser Tweedledee. Portanto, em qualquer dos dois casos, o falante é Tweedledee.

♛ 69

SEXTA RODADA. Se o primeiro estivesse segurando uma carta vermelha, teríamos a seguinte contradição: suponhamos que a carta do primeiro fosse vermelha. Nesse caso, sua afirmação seria verdadeira, donde seu irmão seria Tweedledee e ele, por conseguinte, seria Tweedledum. Logo, ele é Tweedledum carregando uma carta vermelha. Isso faz com que a afirmação do segundo seja verdadeira. Mas, nesse caso, como poderia o primeiro, que diz a verdade, mentir e dizer que seu irmão é Tweedledee com uma carta *preta*? Logo, é impossível que o primeiro esteja com uma carta vermelha; deve estar com uma carta preta.

Uma vez que o primeiro não está com a carta vermelha, a afirmação do segundo não pode ser verdadeira; portanto, o segundo também está segurando uma carta preta. Se o segundo fosse Tweedledee, seria Tweedledee segurando uma carta preta, o que tornaria verdadeira a afirmação do primeiro. Mas a afirmação do primeiro é falsa (porque o primeiro está segurando uma carta preta), logo, o segundo não pode ser Tweedledee. Isso prova que o primeiro deve ser Tweedledee.

♛ 70

PRIMEIRA RODADA (LARANJA E ROXO). O falante não podia ser Tweedledum segurando uma carta laranja, caso contrário teria dito a verdade e afirmado: "Minha carta é laranja." O falante não podia ser Tweedledum com uma carta roxa, pois, nesse caso, teria mentido e dito: "Minha carta é laranja." Portanto, o falante não era Tweedledum, donde era Tweedledee (carregando uma carta roxa e dizendo a verdade, ou segurando uma carta laranja e mentindo).

♛ 71

SEGUNDA RODADA (LARANJA E ROXO). Um princípio útil, que será empregado neste problema e em alguns dos posteriores, é o seguinte: se as duas cartas forem da mesma cor, um deles estará mentindo e o outro estará dizendo a verdade (porque, se ambas forem laranja, Tweedledum estará dizendo a verdade e Tweedledee estará mentindo; se ambas forem roxas, Tweedledee estará dizendo a verdade e Tweedledum estará mentindo). Por outro lado, se as cartas forem de cores diferentes, ou os dois irmãos estarão mentindo, ou os dois estarão dizendo a verdade.

Agora, consideremos o problema atual. Uma vez que os dois irmãos afirmam ser Tweedledum, é claro que um deles está mentindo e um está dizendo a verdade. Portanto, as duas cartas devem ser da mesma cor. Suponhamos que ambas sejam roxas. Nesse caso, a segunda afirmação do primeiro é falsa, donde sua primeira afirmação é falsa, sabendo-se que ele é Tweedledee, o que significa que Tweedledee com uma carta roxa estaria mentindo, o que não é possível. Logo, as duas cartas são laranja. Assim, a segunda afirmação do primeiro é verdadeira, o que significa que sua primeira afirmação também é verdadeira, donde ele é Tweedledum. Logo, o primeiro é Tweedledum, o segundo é Tweedledee e ambos estão segurando cartas laranja.

♛ 72

TERCEIRA RODADA (LARANJA E ROXO). Examinando as duas primeiras afirmações, podemos dizer que, obviamente, ou ambas são verdadeiras, ou ambas são falsas. Portanto, as cartas são de cores diferentes (ver o princípio discutido no início da última solução). Logo, o primeiro mentiu ao dizer que as cartas eram da mesma cor. Assim, ele também mentiu ao dizer que era Tweedledee. Portanto, o primeiro é Tweedledum.

♛ 73

QUARTA RODADA (LARANJA E ROXO). Uma vez que os dois fazem afirmações contraditórias, um está mentindo e o outro está dizendo a verdade. Portanto, suas cartas são da mesma cor (mesmo princípio!).

Se ambas as cartas forem roxas, o primeiro estará dizendo a verdade; logo, ele deve ser Tweedledee (porque sua carta é roxa e ele está dizendo a verdade). Se as duas cartas forem laranja, o primeiro estará mentindo, donde também deverá ser Tweedledee (porque sua carta é laranja e ele está mentindo). Logo, em qualquer dos dois casos, o primeiro é Tweedledee.

♛ 74

RODADA CINCO (LARANJA E ROXO). A primeira afirmação do primeiro concorda com a afirmação do segundo, e daí se conclui que ou ambos estão mentindo, ou ambos estão dizendo a verdade. Portanto, suas cartas são de cores diferentes (mais uma vez, o mesmo princípio!). Isso significa que é verdade que pelo menos uma carta é roxa; sendo assim, o primeiro está dizendo a verdade. Portanto, sua segunda afirmação também é verdadeira, donde ele é Tweedledum. (Além disso, sua carta é laranja e a de Tweedledee é roxa.)

♛ 75

SEXTA RODADA (LARANJA E ROXO). Os dois se contradizem, donde um está mentindo e um está dizendo a verdade. Portanto, suas cartas são da mesma cor (de novo o mesmo princípio!). Isso significa que a afirmação do primeiro é verdadeira.

♛ 76

QUEM É QUEM? A figura no verso do cartaz é um quadrado ou um círculo. Suponhamos que seja um quadrado. Nesse caso, o quadrado significa "sim" e o círculo significa "não", daí a resposta do segundo irmão significou "não", o que era mentira! Por outro lado, suponhamos que a figura no verso do cartaz seja um círculo. Nesse caso, o círculo significa "sim", de modo que a resposta do segundo irmão significou "sim", o que novamente era mentira, já que *não* havia um quadrado no verso do cartaz. Portanto, o segundo irmão mentiu, de modo que é Tweedledee.

♛ 77

QUE PERGUNTA ALICE DEVE FAZER? É possível conceber muitas perguntas capazes de resolver isso; a mais simples que me ocorre é "Sua carta é vermelha?"

Seja qual for o sinal fornecido como resposta, ele deverá significar "sim", porque um irmão com uma carta vermelha diria verazmente que ela era vermelha, e um irmão com uma carta preta mentiria e diria que a carta era vermelha. Portanto, a resposta do segundo significaria "sim". Suponhamos que ele respondesse desenhando um quadrado no ar. Nesse caso, indicaria "sim" com um quadrado; portanto, ele é que teria o prêmio. Se ele respondesse desenhando um círculo, expressaria "sim" com um círculo e não com um quadrado, portanto, não estaria com o prêmio.

Em resumo, se ele desenhar um quadrado, estará com o prêmio; se desenhar um círculo, o outro estará com o prêmio.

Capítulo 9

Em todas as soluções deste capítulo, A será o primeiro réu, B o segundo e C o terceiro.

♛ 78

QUAL DELES ERA O CULPADO? Somos informados de que o culpado mentiu. Se B fosse culpado, teria dito a verdade ao acusar a si mesmo, portanto, B não pode ser culpado. Se A fosse culpado, todos três teriam mentido (porque A teria acusado B ou C, ambos os quais seriam inocentes; B teria acusado a si mesmo, sendo inocente; e C teria acusado C, que seria inocente, ou B, que seria inocente). Mas somos informados de que nem todos mentiram, de modo que A também não pode ser culpado. Logo, o culpado era C.

♛ 79

SEGUNDO RELATO. Que poderiam ter dito ao Rei Branco para lhe permitir saber quem era o culpado? Se lhe dissessem que todos três estavam mentindo, ele jamais conseguiria saber quem era o culpado, pois seria possível que A fosse culpado e acusasse B, e que B e C acusassem um ao outro (donde todos teriam mentido); ou seria possível que B fosse o culpado e acusasse C, e que A e C acusassem um ao outro (e também nesse caso, todos teriam mentido); ou ainda, seria possível que C fosse o culpado e acusasse A, e que A e B acusassem um ao outro. Portanto, não disseram ao Rei Branco que todos haviam mentido.

Poderia o rei ter solucionado o caso, se lhe dissessem que exatamente dois haviam mentido, e quais eram esses dois? Não. Suponhamos, por exemplo, que lhe dissessem que A dissera a verdade e que B e C haviam mentido. Nesse caso, quem quer que A acusasse seria culpado (já que A teria dito a verdade), de modo que ele poderia ter acusado B (caso em que B seria culpado), e B e C teriam mentido e acusado A (ou talvez B acusasse C e C acusasse A). Por outro lado, seria possível que A acusasse C e que B e C acusassem A, caso em que C seria o culpado. Portanto, se A fosse o único a dizer a verdade, o culpado poderia ser B ou C. Similarmente, se B fosse o único a dizer a verdade, o culpado poderia ser A ou C; e se C fosse o único a dizer a verdade, o culpado poderia ser A ou B. Logo, se dissessem ao Rei Branco que A fora o único a dizer a verdade, ou que tinha sido B, ou C, ele jamais conseguiria saber quem era o culpado. Portanto, não disseram ao rei nenhuma dessas três coisas.

Teriam informado a ele que todos três diziam a verdade? Não, isso seria impossível, porque o culpado certamente mentiu (uma vez que acusou um dos outros, e os outros eram ambos inocentes).

Isso deixa apenas a possibilidade de exatamente um haver mentido. Bem, se exatamente um mentiu, o que mentiu deve ser o culpado, porque, se um inocente mentisse, isso resultaria em duas mentiras — a dele e a do culpado. Portanto, disseram ao rei uma de três coisas:

Caso 1: A mentiu, B disse a verdade e C disse a verdade.

Caso 2: A disse a verdade, B mentiu e C disse a verdade.

Caso 3: A disse a verdade, B disse a verdade e C mentiu.

Agora entendemos como foi que o Rei Branco ficou sabendo quem era o culpado, mas, como podemos *nós* saber, uma vez que não sabemos qual dessas três coisas foi dita ao rei? Bem, ou Humpty

Dumpty perguntou ao Cavaleiro Branco se duas afirmações consecutivas tinham sido falsas, ou perguntou se duas afirmações consecutivas tinham sido verdadeiras. A primeira dessas perguntas teria sido inútil (já que houve apenas uma afirmação falsa) e, se ele a tivesse feito, a resposta teria sido "não", e isso não teria permitido a Humpty Dumpty saber de qual dos três casos se tratava. Portanto, Humpty Dumpty perguntou se tinha havido duas afirmações verdadeiras consecutivas. Se lhe dissessem "sim", ele excluiria o Caso 2, mas não conseguiria saber quem era o culpado. Mas Humpty Dumpty *soube*, de modo que deve ter recebido a resposta "não", e então percebeu que o Caso 2 era a alternativa válida; portanto, o culpado é B.

♛ 80

O JULGAMENTO SEGUINTE. Esse problema é muito simples: como A disse a verdade e acusou um dos outros, o culpado deve ser B ou C. Portanto, A é inocente. Se todos modificassem suas acusações, mas continuassem a acusar uma outra pessoa, B teria dito a verdade e, como sabemos que A é inocente, B teria acusado C. Portanto, o culpado é C.

♛ 81

O JULGAMENTO SEGUINTE. Como A disse a verdade e acusou B ou C, o culpado é B ou C; portanto, A é inocente.

Ora, ou disseram ao Cavaleiro Branco que C mentiu, ou lhe disseram que C disse a verdade. Se lhe dissessem que C havia mentido, ele não teria sabido quem era o culpado, pois seria possível que C fosse culpado e acusasse A (ou até B) falsamente, ou seria possível que B fosse culpado e que C acusasse A falsamente. Portanto, considerando que C houvesse mentido, não haveria como determinar se o culpado era B ou C. Por outro lado, considerando-se que C dissesse a verdade, ele não poderia ter acusado A (que é inocente), de modo que teria acusado B e, uma vez que dizia a verdade, B seria o culpado. Por conseguinte, o Jaguadarte deve ter dito ao Cavaleiro Branco que C disse a verdade, e com isso o Cavaleiro Branco ficou sabendo que o culpado era B.

♛ 82

OUTRO CASO. Mais uma vez, como A disse a verdade e acusou um dos outros, ele deve ser inocente. Ora, se houvessem relatado ao Cavaleiro Branco que C dissera a verdade, ele teria sabido, sem maiores informações, que B era o culpado (como vimos na solução do último problema). Mas o Cavaleiro Branco não soube, sem outras informações, dizer quem era o culpado; portanto, devem ter-lhe dito que C mentiu. Depois, disseram-lhe a quem C havia acusado, e isso lhe permitiu saber quem era o culpado. Se lhe tivessem dito que C havia acusado A, ele não teria como saber se o culpado era B ou C. Portanto, devem ter-lhe dito que C acusou B, o que significa que B devia ser inocente (já que C mentiu), e, como A também era inocente, C devia ser o culpado.

♛ 83

OUTRO CASO. Existem oito hipóteses possíveis sobre o que disseram A, B e C. Há duas possibilidades a respeito do que disse A e, para cada uma dessas duas possibilidades, existem duas possibilidades em relação ao que disse B; portanto, há quatro possibilidades quanto ao que disseram A e B. (Essas possibilidades são: [1] A e B disseram ser culpados; [2] A disse que era culpado e B disse que era inocente; [3] A disse que era inocente e B disse que era culpado; [4] os dois disseram ser inocentes.) Ora, para cada uma dessas quatro possibilidades de A e B existem duas possibilidades em relação ao que disse C, de modo que, ao todo, existem oito possibilidades sobre o que disseram A, B e C.

Em cada um desses oito casos possíveis do que disseram os réus existem três possibilidades sobre qual dos réus era realmente culpado. Portanto, há 24 possibilidades na história toda (sendo a história toda o que disse cada réu e qual deles era de fato o culpado). Se soubéssemos qual dessas possibilidades é aplicável, saberíamos, é claro, quem mentiu e quem disse a verdade. Faremos agora uma tabela sistemática para cada uma dessas 24 possibilidades. A tabela será usada não apenas neste quebra-cabeça, mas também num posterior. As explicações virão imediatamente depois da tabela.

1	A Sou inocente	M	V	V
	B Sou inocente	V	M	V
	C A é inocente	M	V	V
2	A Sou inocente	M	V	V
	B Sou inocente	V	M	V
	C A é culpado	V	M	V
3	A Sou inocente	M	V	V
	B Sou culpado	M	V	M
	C A é inocente	M	V	V
4	A Sou inocente	M	V	V
	B Sou culpado	M	V	M
	C A é culpado	V	M	M
5	A Sou culpado	V	M	M
	B Sou inocente	V	M	V
	C A é inocente	M	V	V
6	A Sou culpado	V	M	M
	B Sou inocente	V	M	V
	C A é culpado	V	M	M
7	A Sou culpado	V	M	M
	B Sou culpado	M	V	M
	C A é inocente	M	V	V
8	A Sou culpado	V	M	M
	B Sou culpado	M	V	M
	C A é culpado	V	M	M

Os *M* e os *V* indicam quem mentiu e quem disse a verdade (*M* corresponde a *mentira* e *V* a *verdade*). Por exemplo, no Caso 5B (que encontramos no Grupo 5, na coluna B), vemos que A mentiu, B mentiu e C disse a verdade. (O Caso 5B representa, é claro, o caso em que A disse que era culpado, B disse que era inocente e C disse que A era inocente, e no qual o verdadeiro culpado era B.) Eis outros exemplos: no Caso 8C, todos três estavam mentindo; no Caso 3B, todos três disseram a verdade; no Caso 4C, A disse a verdade e B e C mentiram.

Ora, o Jaguadarte, depois de ser informado sobre o que dissera cada réu e também de que pelo menos uma afirmação tinha sido verdadeira e pelo menos uma afirmação fora falsa, soube quem era o culpado. Que podem ter dito ao Jaguadarte, para lhe permitir sabê-lo? Suponhamos que lhe tenham dito que A afirmou-se inocente, B afirmou-se inocente e C disse que A era inocente (o que nos coloca dentro das três possibilidades do Caso 1). Nesse caso, o Jaguadarte poderia ter excluído a hipótese de C ser culpado (porque, no Caso 1C, todos três mentiram), mas não teria como saber se o culpado era A ou B (porque, no Caso 1A, há pelo menos uma afirmação verdadeira e uma afirmação falsa, como no Caso 1B). Portanto, *não* foi isso que disseram ao Jaguadarte (porque ele *soube* quem era o culpado). E que tal o Caso 2, em que A se disse inocente, B se disse inocente e C afirmou que A era culpado? Mais uma vez, o Jaguadarte não teria conseguido saber a resposta (pois 2A e 2B seriam possíveis). Já o Caso 3 é uma história diferente: nesse caso, a única possibilidade de haver pelo menos uma mentira e pelo menos uma verdade é 3C; portanto, se dissessem ao Jaguadarte que A se declarou inocente, B se declarou culpado e C afirmou que A era inocente, ele teria sabido que C era o culpado. Logo, é possível que *tenham* dito isso ao Jaguadarte. Pois bem, se o leitor examinar os casos restantes — Casos 4, 5, 6, 7 e 8 —, verá que o Caso 6 é a única outra situação (além do Caso 3) em que o Jaguadarte poderia saber quem era o culpado, e (como no Caso 3) verifica-se que é C. Assim, ou fizeram ao Jaguadarte as afirmações do Caso 3, ou fizeram as afirmações do Caso 6, e em ambas as hipóteses constata-se (por uma feliz coincidência!) que o culpado era o C.

♛ 84

OUTRO CASO. Sabemos que A acusou B e não sabemos o que disseram B ou C. Suponhamos que nos dessem a informação adicional de que o culpado era o único que havia mentido. Nesse caso, qualquer dos três poderia ser culpado e não haveria como determinar qual deles. Por outro lado, se nos dissessem que o culpado era o único que tinha dito a verdade, saberíamos que A não podia ser culpado (pois, se fosse, teria dito a verdade ao acusar B, o que significaria que B era o culpado), e saberíamos que B não podia ser culpado (pois, se fosse, A seria inocente e também teria dito a verdade sobre B); logo, o culpado teria que ser C. Portanto, a Rainha Vermelha deve ter sido informada de que o culpado era o único que tinha dito a verdade; caso contrário, ela jamais conseguiria saber quem era ele. Desse modo, a resposta é que o culpado foi C.

♛ 85

E ESTE CASO? Suponhamos que dissessem a Humpty Dumpty que todos três haviam mentido. Com isso, ele não teria como saber se C era culpado e havia acusado A, ou se A era culpado e C havia acusado a si mesmo (já que, em qualquer desses casos, todos três teriam mentido).

É impossível que tenham dito a Humpty Dumpty que todos três disseram a verdade, porque seria impossível que os três dissessem a verdade (já que A e B acusaram B e que C acusou outra pessoa que não B).

Se dissessem a Humpty Dumpty que tinha havido exatamente duas mentiras, ele saberia que A e B haviam mentido (pois, se um deles tivesse dito a verdade, o mesmo teria feito o outro que concordou com ele), e que C dissera a verdade. Nesse caso, ou C teria acusado a si mesmo e seria o culpado, ou teria acusado A e A seria o culpado, mas não haveria meio de decidir qual das duas alternativas. Portanto, nessa situação, Humpty Dumpty não teria sabido quem era o culpado.

A única possibilidade de Humpty Dumpty saber quem era o culpado era se lhe dissessem que exatamente duas afirmações tinham sido verdadeiras. Isso significa que A e B teriam dito a verdade (porque suas afirmações concordaram, de modo que, se uma delas fosse falsa, a outra também o seria, o que corresponderia a duas afirmações falsas) e que C teria mentido. Como A e B disseram a verdade e ambos acusaram B, B devia ser o culpado.

♛ 86

QUAL FOI O DESTINO DO BODE? Considerando-se que o Bode tenha mentido, não decorre daí que ele fosse culpado, nem tampouco que fosse inocente; portanto, sabendo que o tribunal sabia que o Bode havia mentido, o tribunal poderia tê-lo condenado (com base noutras provas das quais não temos conhecimento), ou poderia tê-lo inocentado (também com base em outras provas), ou poderia não ter feito nenhuma das duas coisas, e não há como sabermos qual dessas hipóteses. Por outro lado, se os dois Insetos disseram a verdade, deduz-se necessariamente que o Bode era culpado, porque ambos os Insetos acusaram a mesma criatura (pois os dois disseram a verdade) e nenhum acusou a si mesmo; logo, os dois devem ter acusado o Bode. Sendo assim, devem ter dito ao Cavalheiro vestido de papel branco que ambos os Insetos haviam declarado a verdade, para que ele pudesse saber o que fez o tribunal. Assim, ele soube que o tribunal havia condenado o Bode.

♛ 87

O CASO MAIS INTRIGANTE DE TODOS. Para resolver esse quebra-cabeça notável, temos que utilizar a tabela usada na solução do Problema 83.

Para começar, o Jaguadarte resolveu o caso depois de saber qual das oito situações havia ocorrido (isto é, de saber o que tinha dito cada réu) e de saber que no máximo um dos réus tinha dito a verdade. Isso elimina os Casos 4, 6, 7 e 8, porque, no Caso 4, há duas possibilidades (4A e 4C) de que no máximo um dos réus tivesse dito a verdade; no Caso 6, há também duas possibilidades (6B e 6C); no Caso 7, existem duas possibilidades, 7A e 7C; e no Caso 8, existem as duas possibilidades 8B e 8C. Logo, em nenhum desses quatro casos o Jaguadarte poderia ter sabido quem era o culpado. Por outro lado, no Caso 1, a possibilidade 1A é a única em que teria havido no máximo uma afirmação verdadeira; no Caso 2, a única possibilidade seria a 2B; no Caso 3, a única seria a 3A; e no Caso 5, a única seria a 5B. Assim, sabemos que o caso de que se trata foi um destes: Casos 1, 2, 3 ou 5.

Pois bem, Tweedledee foi informado de que o Jaguadarte resolveu o problema, portanto, Tweedledee também sabia que o caso real tinha sido 1, 2, 3 ou 5. Se lhe dissessem que A se havia declarado culpado, ele teria eliminado os Casos 1, 2 e 3 e sabido que o Caso 5 devia aplicar-se, o que equivale a dizer que o culpado seria B (porque 5B é a única possibilidade, no Caso 5, de que fosse feita no máximo uma afirmação verdadeira). Isso quer dizer que Tweedledee teria solucionado o problema; ocorre que somos informados de que ele *não* o solucionou, donde não lhe disseram que A se havia declarado culpado; disseram-lhe que A se havia declarado inocente, e com isso ele soube que o Caso 5 não era aplicável, mas não teve como saber se o correto seria o Caso 1, o 2 ou o 3; logo, não soube se o culpado era A ou B. De qualquer modo, sabemos agora que se trata de um desses três Casos, o 1, o 2 ou o 3.

Agora, consideremos Tweedledum. Informaram-no sobre o Jaguadarte, de modo que ele também sabia que os Casos 1, 2, 3 ou 5 deviam aplicar-se, mas não lhe contaram sobre Tweedledee, de modo que ele não sabia que o Caso 5 fora eliminado. Pois bem, ele fez então uma pergunta sobre B ou C, mas não sabemos qual. Suponhamos que ele tenha indagado sobre B. Se o Cavaleiro Branco lhe dissesse que B se declarara culpado, Tweedledum teria excluído os Casos 1, 2 e 5, restando-lhe apenas o Caso 3; assim, ele teria resolvido o problema (concluindo que o culpado era A). Mas ele não resolveu o problema; logo, se ele perguntou o que dissera B, devem ter-lhe informado que B se declarara inocente. Agora, portanto, sabemos que, *se* Tweedledum tiver perguntado o que disse B, o caso aplicável será o 1 ou o 2.

Suponhamos que Tweedledum tivesse perguntado o que disse C. Se lhe dissessem que C havia acusado A, ele teria eliminado os Casos 1, 3 e 5 e solucionado o problema (concluindo que B era o culpado). Mas ele não solucionou o problema, de modo que devem ter-lhe dito que C afirmou que A era inocente. Isso significa que o caso aplicável é o Caso 1 ou o Caso 3, e que A deve ser o culpado (embora Tweedledum não tivesse como saber disso, pois, no que lhe dizia respeito, o Caso 5 também poderia ser aplicável e o culpado poderia ser B).

Vemos agora que, se Tweedledum houvesse indagado sobre B, então (visto que ele não resolveu o problema) o Caso 1 ou o Caso 2 seriam aplicáveis. Se ele houvesse indagado sobre C, tratar-se-ia dos

Casos 1 ou 3. Ora, Humpty Dumpty indagou se Tweedledum havia perguntado sobre B ou sobre C. Se lhe dissessem que Tweedledum havia perguntado sobre B, Humpty Dumpty saberia ter-se tratado do Caso 1 ou do Caso 2, e portanto, saberia que o culpado era A ou B, mas não teria como saber qual dos dois. Ocorre, no entanto, que Humpty Dumpty conseguiu resolver o problema; sendo assim, devem ter-lhe dito que Tweedledum havia perguntado sobre C; com isso, Humpty Dumpty soube que se tratava do Caso 1 ou do Caso 3, e que em ambos os casos o culpado era A. Isso prova que A era o culpado.

Capítulo 11

♛ 88

UMA PERGUNTA. Sim, elas são uma decorrência. Consideremos primeiramente a Proposição 1: suponhamos que uma pessoa acredite estar acordada. Ou ela está realmente acordada, ou não está. Vamos supor que esteja. Nesse caso, sua crença é correta, mas qualquer um que tenha uma crença correta quando está acordado tem que ser do Tipo A. Suponhamos, por outro lado, que a pessoa esteja dormindo. Nesse caso, sua crença é incorreta, mas qualquer pessoa que tenha uma crença incorreta quando está dormindo tem que ser do Tipo A. Logo, quer ela esteja acordada ou dormindo, ela tem que ser do Tipo A. Isso comprova a Proposição 1.

Quanto à Proposição 2, suponhamos que uma pessoa acredite ser do Tipo A. Se ela for realmente do Tipo A, sua crença estará correta, mas a pessoa do Tipo A só pode ter crenças corretas quando está acordada. Por outro lado, se ela for do Tipo B, sua crença estará incorreta, mas a pessoa do Tipo B só pode ter crenças incorretas quando está acordada. Portanto, em qualquer desses casos, ela estará acordada, o que comprova a Proposição 2.

1ª EDIÇÃO [2000] 11 reimpressões

ESTA OBRA FOI COMPOSTA POR TEXTOS & FORMAS EM BEMBO
E IMPRESSA EM OFSETE PELA GRÁFICA PAYM SOBRE PAPEL ALTA ALVURA
DA SUZANO S.A. PARA A EDITORA SCHWARCZ EM ABRIL DE 2022

MISTO
Papel produzido
a partir de
fontes responsáveis
FSC® C133282

A marca FSC® é a garantia de que a madeira utilizada na fabricação do papel deste livro provém de florestas que foram gerenciadas de maneira ambientalmente correta, socialmente justa e economicamente viável, além de outras fontes de origem controlada.